Ⓢ新潮新書

大西康之
ONISHI Yasuyuki

流山がすごい

979

新潮社

埼玉県
茨城県
さいたま
流山市
東京都
東京
千葉
千葉県
川崎
横浜
神奈川県

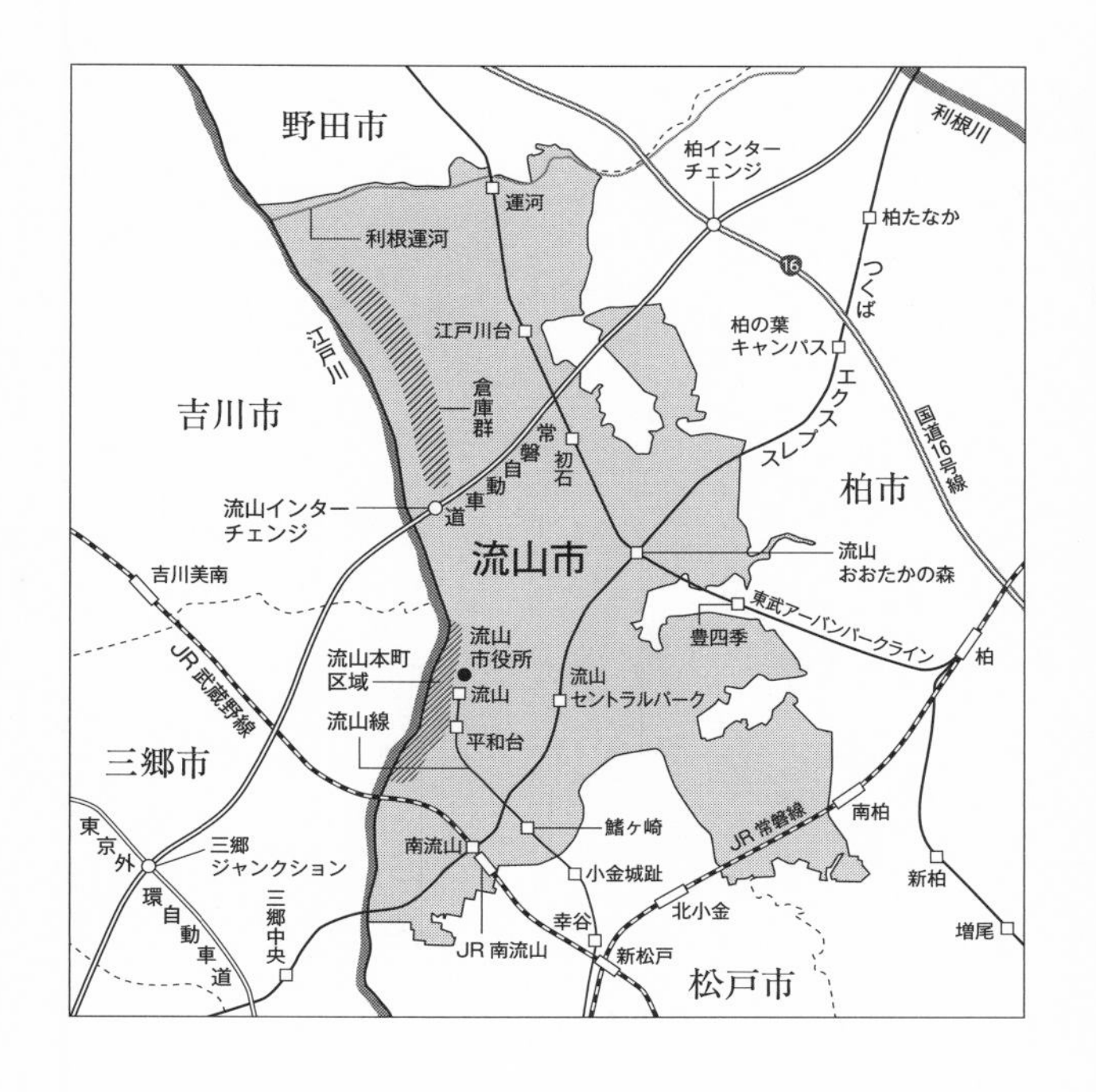
野田市
利根川
柏インターチェンジ
運河
利根運河
柏たなか
16
つくばエクスプレス
江戸川台
柏の葉キャンパス
江戸川
倉庫群
吉川市
国道16号線
常磐自動車道
初石
柏市
流山インターチェンジ
流山市
流山おおたかの森
吉川美南
東武アーバンパークライン
豊四季
JR武蔵野線
流山市役所
流山本町区域
流山
柏
流山セントラルパーク
流山線
平和台
三郷市
南柏
JR常磐線
鰭ヶ崎
東京外環自動車道
南流山
三郷ジャンクション
小金城趾
新柏
三郷中央
北小金
幸谷
増尾
JR南流山
新松戸
松戸市

流山がすごい　目次

第1章　保育の楽園が生んだ奇跡

送迎保育ステーション

月曜日午前7時の流山（ながれやま）おおたかの森駅。東武アーバンパークライン（東武野田線）と、つくばエクスプレスが交わるコンコースで人の流れを観察する。制服を着た園児の手を引いたお父さんお母さんが、改札とは反対側のビルに続々と吸い込まれていく。

数分すると親だけがビルから出てきて、足早に改札に向かう。園児の制服や鞄がバラバラだ。同じ保育所に預けているわけではないらしい。

早朝に親子が向かったのは流山市が市内の社会福祉法人に委託して運営している「送迎保育ステーション」。仕組みはこうだ。

午前7時から7時50分の間に、駅前ビルの3、4階にある送迎保育ステーションに子供を連れていく。午前8時、市内各所の保育所に通う子供達がルートごとに送迎バスに乗り込み、9時までに全員が自分の保育所に送り届けられる。

午後4時、送迎保育ステーションを出発したバスが市内各所の保育所を回って子供達をピックアップし、午後5時までに送迎保育ステーションに送る。仕事帰りの親は午後6時までに迎えに行き、家路につく。

流山市民は1日100円、月額最大2000円でこのサービスを受けられる。送迎保育ステーションは通常の保育所も併設しており、お迎えが遅れても午後7時までなら100円、午後8時まででも30分500円の追加料金を支払えば延長保育で預かってくれる。

流山市がこのサービスを始めたのはつくばエクスプレスの開通から2年後の2007年。最初はバス2台で始めたが、利用者がどんどん増え、翌年には南流山駅にももう一つの送迎保育ステーションができた。今は8台のバスが走っている。流山市在住なら1歳～5歳の誰もが利用できる。ピークの登録者は200人以上。2018年には延で5万人弱が利用した。その後、コロナ禍で利用者は減ったが、感染拡大が収まれば再び増えるだろう。

2022年の5月、筆者は都内の会合で知り合った人事コンサルタント会社で役員を務める女性とこんなやり取りをした。

女性役員「お住まいはどちらですか」

筆者「流山です」

「ああ、この間、テレビでやってましたね。子供が増えてるって。どうしてですか？」

筆者が斯く斯く然々と送迎保育ステーションの説明を始めると女性は慌ててバッグからメモ帳を取り出した。

「え、駅前で子供を預かってくれるんですか？　帰りも。もう一度お願いします。朝は7時からで、夜は何時まで？」

「原則6時で、8時まで延長できるそうです」

「へえ、8時まで。明日、電話してみます」

彼女は業界では名の通ったコンサルタントで、大企業の人事部を相手にバリバリ仕事をしている。都内に住んでいて、就学前の2人の子供を抱えており、ようやく保育所を見つけたが1人ずつしか空きがなく、兄弟で別々の保育所になった。朝、二つの保育所を回って駅にたどり着くのに小一時間かかる。帰りも同じ。多忙を極める彼女にとって2時間のロスはあまりに痛い。

実はこの送迎保育ステーションを始めたのは流山市が最初ではない。しかし一足先に始めた横浜市では、幹線道路の渋滞がひどく園児を定時に送り届けることができなかった。また他の自治体では「送迎の対象は公立の保育所だけ」というところが多く、利用者から「使い勝手が悪い」と批判が集まっている。

流山市長の井崎義治は最初から私立の保育所にも門戸を開き、利便性を高めた。すると前記のコンサルタントの女性のように、送り迎えに膨大な時間を割いていた子育て世代の間で「流山の送迎保育ステーションは使い勝手がいいらしい」とクチコミで評判が広がった。

6年連続人口増加率トップ

「保育園落ちた日本死ね!!!」の匿名ブログが全国の注目を集めたのが2016年。日本の共働き子育て世帯の多くが「保育園難民」と化していた。千葉県の北の端に位置する流山市は、その10年前から子育て世代の支援に着々と手を打っていた。

2010年、市内に17ヶ所しかなかった保育園は12年後の2022年、100ヶ所に増えた。2003年に流山市長になった井崎が「共働き子育て世代の基本的インフラとして保育園を整備せよ」と号令をかけたからだ。2021年に「待機児童ゼロ」を達成した。

ここまで急激に保育園を増やすと、当然、問題になるのが保育士の確保だ。流山市は十分な人数の保育士を揃えるため、保育士を厚遇することにした。

まず「処遇改善」として市から毎月4万3000円の補助が出る。流山市で新たに保育士になると「就労奨励金」として最大30万円が受け取れた（この制度は2022年度で終了）。さらに最大6万7000円の家賃補助（国が二分の一、市と事業者が四分の一を負担）も出る。特別なケアが必要になる要配慮児童を預かる園は保育士の数を増やす必要があるため、市が追加の人件費を負担する。こうした児童を受け入れる園を含め障がいの診断を受けた子供を対象に配置される加配保育士を置いている園は60ヶ所を超えている。

こうして「保育の楽園」になった流山市には保育園難民となった首都圏の子育て世代が一斉に押し寄せた。その結果が現れたのは2016年。総務省が発表した人口動態調査で、流山市の人口増加率（2・49％増）が全国の市の中でトップに躍り出たのだ。

流山市はその後も、毎年、全国の市の中で「人口増加率首位」を維持し続け、202

1年まで6年連続の首位を達成した。

千葉県のマスコットは県の地図を犬に見立てた「チーバくん」。県北西部、茨城県や埼玉県に近い流山市は、野田市とともに、チーバくんの鼻の先を構成している。道路や鉄道の開発が遅れ、かつて「千葉のチベット」と呼ばれた地域である。

「千葉のチベット」の中でもとりわけ辺鄙と言われた流山市。その流山市が変わるきっかけになったのは2005年のつくばエクスプレス（TX）開業だ。市内に「南流山」「流山セントラルパーク」「流山おおたかの森」の3駅ができ、駅周辺で一気に土地区画整理が進んだ。TXと東武アーバンパークライン（東武野田線）がクロスする流山おおたかの森の駅前には巨大ショッピングセンターや大型のマンションが林立し、今や「千葉のニコタマ（ヤングセレブの街として有名な世田谷区二子玉川の略称）」と呼ばれている。

TX開業時に約15万人だった流山市の人口は、2021年に20万人を超え、22年には20万6000人。この10年で3万8000人増えた。

人口増は不動産の資産価値も大きく押し上げ、更地の一坪（約3・3平方メートル）単価が「流山おおたかの森駅」から10分程度で約110万円。3LDKの中古マンション（築10年程度）については同駅から5分程度で約4800万円と、ともに5年前の1・5倍に上昇した。地元不動産会社の社長の岡村徳久は「TX沿線には都内の駅もあるが、治安などを考えて、流山が選ばれる」と解説する。

経済ジャーナリストの視点

筆者が流山市に移り住んだのは1993年。TXはまだ開通しておらず、常磐線柏駅で乗り換える東武アーバンパークラインの江戸川台駅から徒歩10分の場所に小さな一戸建てを立てた。なぜここを選んだかはおいおい説明するが、通勤時間が1時間強に収まる都心から30キロメートル圏内で最もコストパフォーマンスの良い街を探したら、ここに行き当った。

以来、現在に至るまでずっと流山市民である（1998年から2002年までロンドンに赴任していたので4年間のブランクがある）。まさか自分の住む街が「6年連続人口増加率日本一」になるとは思ってもみなかったし、「千葉のニコタマ」と言われてもなんだかピンとこないのだが、一つだけ実感していることがある。子供の数がとんでもない勢いで増えているのだ。

あれは2010年頃の出来事だった。

筆者は2002年に流山市に戻った後、小学生の長男が入った地元のサッカー少年団で週末にボランティア・コーチをやり始めた。東京のベッドタウンとして街が発展していた1980年代に作られたこのチームには、最盛期1学年に30人近い子供が集まっていた。小学1年から6年で総勢180人の大所帯だ。

筆者がコーチになった頃はすでに子供の数が減り始め、1学年25人前後、11人制で2チーム組むのがやっとの状態だった。その後も子供の数は減り続け、20人集めるのが精一杯という状況になっていた。

ところが2010年のある時、近隣の大会に参加すると市内のライバルチームの人数が急激に増えていた。

「なんか、いっぱいいるねえ。何人なの」

「いや今年になっていきなり増えて、今48人」

「すげー。ビッグクラブじゃん！」

「いや、なかなか名前が覚えられなくてさ」

流山市には7つのサッカー少年団があるが、ビッグクラブ化したのはTXの駅に近い小学校のグランドを使って練習をしている3チームだった。

その後も我が家から一番近い流山おおたかの森駅周辺で急ピッチに区画整理が始まった。この前まで雑木林だったところに宅地が造成され、次から次へと新しい道路ができる。1ヶ月もするとすっかり景色が変わるので、地元住民の筆者が道に迷うほどだ。

大半が雑木林と畑だった駅前にマンションが立ち始めた。

「こんなところに、でかいマンションを立てて。人が入るのかねえ」

あの頃、購入しておけばちょっとした小金持ちにはなれていたはずだ。不明を恥じいるばかりである。

前述の通り、その頃から年間10~20ヶ所という凄まじい勢いで保育園が新設された。やがて東武アーバンパークラインの線路沿いは、保育士さんが5、6人の園児を乗せて押す「お散歩カー」のメッカになった。電車が通過するたびに、園児たちが一生懸命に小さな手を振る。東武アーバンパークラインは日本で一番、園児に手を振ってもらえる電車かもしれない。車窓から沿道に向かって手を振りかえしていると、こんな言葉が頭に浮かぶ。

「保育の楽園」

少子高齢化で経済も衰退する一方の日本。しかし本気になればこんな街づくりも可能なのだ。筆者は一市民として街の変貌ぶりを目撃してきた。何をどうすれば、電車に乗るたびに園児たちに「バイバーイ」と手を振ってもらえる、こんな街が作れるのか。経済ジャーナリストの視点でそれを考えたのが本書である。

「田舎は嫌」だったはずが……

「保育の楽園」に集まってきたのはどんな人たちか。例えばこんな人だ。

手塚純子は1983年に大阪府で生まれた。神戸大学でアメリカンフットボール部のマネージャーとして組織マネジメントに目覚め、人材系の仕事がしたくてリクルートに入社。リクルートでは営業、人事、経営企画などさまざまなポジションを経験した。

手塚は会社に近い東京都の目黒区に住んでいた。バリバリ働き、バリバリ遊ぶ。そんな手塚にぴったりで、大好きな街だった。やがて結婚することになり、子供を産む想定をし始めた。女性の先輩社員たちから聞く子育ての話は、恐ろしいものだった。

ある先輩は都内で保育園が見つからず、入園の条件をよくするため、計画的に離婚してシングルマザーになり、保育園が決まった後に同じ人と再婚した。別の同僚はオフィス内にある認可外の保育園を活用し、子供が病気の時はベビーシッターを雇い、月に約20万円を支払っていた。月給の半分だ。もはや何のために働いているのか分からない。

リクルートにはネットで住宅情報を提供する『ＳＵＵＭＯ（スーモ）』という事業がある。そこに所属する同僚に聞いた。

「すぐに保育園に入れてドア・ツー・ドアで1時間以内に東京駅まで通える場所ってない？」

同僚が言った。

「うーん、今なら流山おおたかの森とか柏の葉キャンパスとか」

手塚は即答した。

「聞いたことないし、田舎は嫌」

都内の下町も見に行ったが、ラブホテルが林立していてダメだった。

ある日の夕方、「見るだけ見ておこう」と思って流山おおたかの森に行った。そこで手塚は思わぬ光景を目にした。ちょうど帰宅ラッシュの時間。若いスーツ姿の男性たちが駅前の送迎保育ステーションで受け取った子供の手を引いて、ゾロゾロと街を歩いているのだ。

「ニュータイプだわ！」

男性の育児参加はもはや当たり前。だが出勤のついでに子供を保育園に連れて行く「送り」はあっても、決められた時間に仕事を切り上げて我が子を迎えに行く「お迎え」は妻の役割であることが多い。手塚が働いていたリクルートは「働き方改革」の先頭を走る会社である。それでも「お迎え」をやっている男性社員は稀だ。

「部下のいる男性社員が、子供のお迎えがあるから、と仕事を切り上げるのはやっぱり難しいです。数が減ったとはいえ夜の付き合いもあったりするし」

しかし流山おおたかの森で見たパパたちは、当たり前のようにそれをやっている。

「何なの、この街？」

家に帰ると手塚はパソコンを開き、流山市のことを調べた。

特殊な人が賞賛される場所

「母になるなら、流山市。」

こんなキャッチフレーズを掲げる流山市は、自分たちのような子育て世代に手厚い優遇政策を実施している。だが手塚は市が進めている数々の政策から「子育てがしやすい」以上のメッセージを受け取った。

「母になってもどうぞガンガン活躍してください、って言われてる気がしたんです」

「仕事ができる人間が多い」と評判のリクルートでは、新人社員の頃から「思い立ったらまず動け」と教えられる。創業期から伝わっている「圧倒的当事者意識」という社風だ。批評家にならず当事者になる。何事も「自分事」と受け止め、自分に何ができるかを考える。

流山市に引っ越した手塚は、その1週間後、市長の井崎に会えるイベントに行き、すぐ挨拶できたことにも驚いた。社長に気軽に会える風通しの良い会社のようだ。

「ここで色々、活動したいです」

「活動大歓迎です」と井崎は言った。

手塚より一足早く流山で活動していたのが尾崎えり子。尾崎は2010年、第一子の妊娠を機に新宿区から流山市に転入してきた。リクルートのOBが立ち上げた東京の経営コンサルティング会社でバリバリ働いていた尾崎は、第二子を出産した後「母になるなら、流山市。」のポスターのモデルになる。

井崎の肝煎りでできた市のマーケティング課と交流ができ、「子ども子育て会議委員」

を委嘱されると行政との関わりを深めていった。やがて尾崎は会社を辞め、流山で女性活用のコンサルティングや教育事業を手がけるベンチャー企業の「新閃力(しんせんりょく)」を立ち上げた。

尾崎は新閃力の事業の一つとして「Ｔｒｉｓｔ（トリスト）」というシェアサテライトオフィスの開設を検討していた。尾崎自身は子供を産んだ後、通勤時間が妨げとなって、いったん仕事と子育ての両立を諦めた。その時の経験から「自宅のそばにシェアオフィスがあって、そこが会社と繫がっていれば通勤時間のせいで仕事を諦める必要はなくなる」と考えていた。第一子の育休中だった手塚は「そのモデルにならないか」と誘われたことをきっかけにＴｒｉｓｔの立ち上げに深く関わることになった。

単にシェアオフィスを作るだけでなく、マイクロソフトを巻き込んで最先端のテレワーク教育プログラムをママたちに無料で提供し、オンラインで働く人材を求める都心の企業に彼女たちを売り込んだ。リモートワークが当たり前になるコロナ禍よりはるかに前の話である。

バイタリティの塊のような尾崎を見て手塚は思った。

「ここ（流山市）はこんな特殊な人が賞賛される場所なんだ」

Sim City みたいだ

手塚が働いていたリクルートも、人のやらないことをやる者が賞賛される会社だった。日本にはそんな場所はリクルート以外にない。そう思っていたが、自分が引っ越してきた街がまさにそうだった。

「ここに集まってくる人たちとは仲良くなれるかもしれない」

手塚の中で妄想がむくむくと膨れ上がる。目の前に広がる雑木林や野原に、新しい街がどんどんできていく。そこに気の合う仲間が集まって「みんなで作っていこうぜ！」と新しいルールや仕組みを作っていく。

「Sim City みたいだ」

Sim City はかつて世界中で大ヒットしたパソコンゲーム。都市計画を練り、発電所や浄水場や道路といったインフラを整えながら仮想の街を作る。

「流山市が会社で、私がその会社の人事部長だったら」

手塚の妄想は止まらない。

「とにかく、街中にいる、自分とは違う個性や経歴を持った面白い人を仲間にする。今は高学歴で大企業に就職しても出世より仕事と暮らしのバランスを重視する人がたくさんいる。暮らしにこだわる彼ら、彼女らにとって、自分の生き方と地域の課題解決は重ねられるはず。街の人事部長としてそんな人達を採用する」

手塚は第二子の育休中に会社を辞めて起業する。始めは市民団体の形で立ち上げた「WaCreation（ワ・クリエイション）」を２０１８年に株式会社に改めた。流山市は千葉県の自治体の中でも圧倒的に法人の数が少ない。市税も9割方が個人の収める住民税だ。

Ｔｒｉｓｔの経験を経て手塚が考えたのは「東京や大阪にある大企業の仕事の一部を流山に持ってくるのではなく、地域の課題を解決する事業を大企業と組んで社会実験する会社を流山に登記してもらうこと」だった。大都市から法人税を引き寄せるのだ。

WaCreationが最初に始めたのは流山市でのコミュニティデザイン。流鉄流山駅前にあったタクシー会社の空き車庫を改装して、コミュニティー・スペース兼観光案内所を作り「まちをみんなでつくる」machimin（マチミン）と名付けた。

machiminは流山の名産である流山キッコーマンのみりんを活用して「みりんの魅力」を再発見するプロジェクトを始めた。そこからみりんを使ったお菓子が生まれ、

machimin はそれを作るお菓子製造所兼喫茶店になった。市内の田んぼでの稲刈り体験とその後の空地を使った「プライベート公園」、ペットボトルや毛糸玉を使った「廃材アップサイクル」などを展開し、凸版印刷、NTT東日本などの大企業を巻き込んだ。

手塚は言う。

「一つ一つは大きくなくていいんです。100万円の事業を100個起こせば1億円になります」

女性向け創業スクール

行政の立場で尾崎や手塚の背中を押してきたのが河尻和佳子。流山市の6代目マーケティング課長だ。民間出身の市長、井崎が市役所にマーケティング課を設置したのは就任2年目の2004年。「限られた予算を有効に使うためには行政にも施策のターゲットをはっきりさせるマーケティングが必要」という思想の元に作られたマーケティング課のトップには原則として民間出身の人材が登用されてきた。

河尻も民間出身。流山市役所で働くようになるまでは東京電力でマーケティングをやっていた。

河尻が流山市に引っ越してきたのは2009年。それまで市川市に住んでいた河尻は就学前の2人の子供を抱え「子育てしやすい一戸建て」を探していた。徒歩で駅まで行けて、子供が走り回れるくらいのスペースがあって。夫婦が考える条件を満たす物件はなかなか見つからない。流山市に住んだことのある夫が言った。

「なんか最近、流山がすごいらしいよ」

河尻の反応は手塚と同じだった。

「ええ、流山ぁ。行きたくないなぁ」

河尻の頭の中の流山は「何もない田舎」。子育てのためとはいえ、そこまで辺鄙なところには住みたくない。

しかし夫に連れられて渋々行った「流山おおたかの森」は河尻の予想を大きく超えていた。開業間もない流山おおたかの森S・C、その周りで宅地造成のために響く槌音。駅前が空き地だらけであることも、河尻の目には「成長の余白」に映った。

「ああ、この街はこれから発展していくんだ」

ほぼ即決で戸建てを購入し2009年3月に転入した。保育園への入園を申し込むため市役所に行くと、担当者にこう言われた。

「お手数ですが、第五希望までご記入ください」

「え、そんなに」

幸い自宅に近い第一希望の保育園に入れたが、自分たちと同じ子育て世帯がこの街に大挙してきていると実感した。

引っ越しの後片付けが終わるころ、河尻は日経新聞の千葉県版の記事に目を止めた。「流山市が街をプロモーションする人材を募集する」とある。２００４年にできたマーケティング課は入念な市場調査を終え、まさにこれからアクションを起こすタイミングである。それに合わせた実働部隊を２人募集していた。

下の子供はまだ3歳でフルには働けない。「どうせ採用されないだろう」と思ったが、面白そうなので応募してみた。すると思いがけなく採用通知がきた。河尻はまさにマーケティング課がプロモーションの標的とする人物だった。つまり、自分が「してほしい」と思うことをやればいいのだ。こうして河尻は任期付きで流山市役所の職員になった。

5年の任期が切れたところでもう一度応募して採用され、都合10年働いた。その後、マーケティング課長の公募に応募し、６代目のマーケティング課長に就任した。

河尻自身もその1人だが、送迎保育ステーションなどの施策や「母になるなら、流山市。」のプロモーションが成功し、首都圏の子育て世帯が流山市に集まってきた。2005年に7997人だった0歳〜5歳の人口は2022年、14439人に倍増した。6年連続で「人口増加率全国1位」を記録した流山市は、テレビ番組にもしばしば取り上げられるようになり、「流山？ どこだっけ」という反応が「ああ、あの流山ね」に変わった。

「でも」と河尻は言う。

「何の街なのか、と言われたら、これといった特色はない。人は集ってきているものの、まだブランド化はされていません」

ベッドタウンというだけでは、どこも同じでブランドにならない。有名なお寺が数多くあり文豪が愛した鎌倉や、古い街並みが見事に残り「小江戸」と呼ばれる川越のような観光の街にはなり得ない。では何を売り物にするのか。そう問うと、河尻は即答した。

「人です。尾崎さんや手塚さんみたいに、地域の課題を起業という形で解決していく人達や、街に足りないものは自分たちで作ってしまおうという誇り高き市民です」

河尻がマーケティング課を通じて尾崎のトリストに委託したのが「女性向け創業スク

ール」だ。子育てのために流山にやってきた。でも仕事は諦めたくない。都心までの通勤時間が働く障害になるのなら「流山で起業して貰えば良い」という発想だ。

シビック・プライド

２０２２年3月末の段階でスクールに来た女性は１７５人。このうち45人が何らかの形で起業した。レンタル・キッチンを使って飲食店を始めた人。カメラスタジオを立ち上げた人。ワインソムリエの知識を活かしてワイン教室を始めた人。流山市の手厚い子育て支援を受けながら、多くのママたちが夢を叶えている。そんなチャレンジの一つ一つが、やがて流山市のブランドになるのだ。

「手塚さんの machimin は新聞、雑誌、テレビに取り上げられ、流山市の露出も高まりました。彼女の目指すところを把握し、メディアにどう取り上げてもらうか考える。それもマーケティングの仕事です」

河尻も尾崎も手塚も、子供を産むまでは東京でバリバリ働いてきたキャリアウーマン。子育てをきっかけに流山市を選び、そこで新しい生き方を手に入れた。

女性だけではない。50代で会社をリタイアし、流山市で有機農業を始めた男性。プロのサッカー選手になる夢を追いかけた後、流山市初のプロ・サッカーチームを作ろうとしている若者。つくばエクスプレスの開通で都心から25分の近さを手に入れた流山市では、行政が先進的なグランドデザインを描き、そこに夢を持つ人々が集まって、新しい街づくりが始まっている。6年連続の「人口増加率全国792市中1位」はその結果に過ぎない。河尻は言う。

「自分たちが望むことを、誰かにお願いするのではなく、自分たちで実現しようとする。シビック・プライド（市民としての誇り）がこの街の1番の魅力です」

「千葉のチベット」から「千葉のニコタマ」へ。

変貌を遂げる流山市の中で起きている「静かな革命」。とくとご覧いただこう。

第2章　ヒューストンから来た市長　井崎義治物語

「結構遠いなあ」

1989年（平成元年）のある日、ひと組の夫婦が流鉄流山線の流山駅に降り立った。2人とも年のころは30代の半ばだ。やれやれといった感じで夫の方がつぶやいた。

「結構遠いなあ」

彼の会社がある東京・八重洲から山手線で西日暮里に出て、そこから地下鉄千代田線で馬橋駅まで。さらに馬橋で流鉄に乗り換えて5駅。終点が流山だ。スムーズにいけば所要時間1時間弱の通勤圏だが、2回乗り換えレトロな流鉄線に乗ると、ずいぶん遠くまで来たような気がする。

改札を抜けた夫婦は、老舗の割烹料亭、柳家を横切り図書館の脇のレンガ通りを過ぎると緩やかな坂を上り始めた。

「緑が多くて、図書館や公園があって子育てには良さそうなところじゃない」

妻は一目でこの環境が気に入ったようだ。

「そうだね」

実はこのとき夫婦は米ヒューストンに住んでおり、夫は区画整理事業の地図を郵便で取り寄せてこの場所に家を買った。

電車の便の悪さはやがて改善されるはずだ。1987年には運輸省（現国土交通省）、東日本旅客鉄道（JR東）、沿線4都県からなる「常磐新線整備検討委員会」が設置され、筑波研究学園都市と都心を結ぶ新線の建設が動き始めていた。後の「つくばエクスプレス」である。まだ駅の位置までは決まっていなかったが、とりあえず「日本一ひどい」と言われた常磐線の通勤地獄は和らぐ。

92年には常磐自動車道に「流山インターチェンジ」もできる。クルマで流山に行く時は手前の三郷ジャンクションか、流山を通り越した柏インターチェンジで降りて一般道を走らなければならなかったが、流山インターができればクルマでの便もグッと良くなる。

それまで交通の便を考えると「陸の孤島」だった流山が、つくばエクスプレスと流山インターによって「都心まで30分」の至便な場所になる。

坂の途中、さびれた街の中に真新しい茶色いコンクリートの建物が見えてきた。流山市役所だ。14年後、夫はここの市長になるのだが、この時は2人ともそんなことになろうとは、つゆほども考えていなかった。

井崎が流鉄流山駅に足を運んだのはこれが初めてだったが、井崎の頭の中には流山駅周辺の地形がしっかりインプットされていた。

街としてのポテンシャル

井崎は米国の大学院で地理学の修士課程を修了した都市計画コンサルタントだ。区画整理の計画書を読み込み、流山市街の近未来の様子を頭の中で仮想化していた。

(なるほど、この坂の勾配は思った通りだ)

(やっぱり街路樹はほとんどないんだな)

井崎は頭の中のイメージと、実際の景観をすり合わせながら歩いた。あと数十メートルも歩けば、ヒューストンで購入を決めたマンションが見えてくるはずだ。

都市開発のプロを任ずる井崎は、これまでの仕事で世界中の街を見てきた。プロの沽券にかけて首都圏で「一番いい街」になる可能性のあるところに住みたい。

井崎にとって「いい街」とは、通勤の便がいいだけでなく「適度な高台にあり緑が豊かな街」だった。世界のどこへ行っても住宅地として人気の町は緑が豊かな高台にあった。高台は地盤が固く地震や水害に強い。ただし自分もいずれ歳を取ることを考えれば、自力で歩けないような急な坂は困る。だから不動産会社などから区画整理の資料を入手し、徹底的に調べた。

「都心に通勤可能で緑に囲まれ将来性のある高台」。この条件で絞り込むと、三つの地域が残った。多摩丘陵、狭山丘陵、そして下総台地。井崎はあらゆる条件を勘案して「いい街」をスクリーニングしていった。最後に残ったのが下総台地にある流山だった。

何より2005年には「つくばエクスプレス」が開通し、常磐自動車道の「流山インターチェンジ」もできる。都心へのアクセスが一気に改善されるため「街として発展するポテンシャルが圧倒的に高い」と井崎は考えた。「陸の孤島」だったことが幸いし、手付かずの自然が多く残っていることも魅力だった。

江戸川と利根川に挟まれた流山は、下総台地の縁(へり)にある。成田市から野田市にかけて、千葉県北部に広がる下総台地は標高30〜40メートルのなだらかな台地で、地下に活断層がなく地盤が安定している。地上には「日本を創った道」と呼ばれる国道16号線が走り、成田国際空港もこの台地の上にある。数多く存在する古墳や貝塚が示すように縄文時代から人が住んでいた。もともと「人が住みやすい場所」なのだ。

地理オタクからディスコ・キッドに

井崎の父親は日本画家の井崎昭治。絵画への情熱とキリスト教の信仰で生きる世間の常識にとらわれない人だった。

井崎が生まれた頃は東京で暮らしていたが、1956年に千葉県柏市に引っ越した。柏市立第五小学校で過ごした小学生時代、井崎は国土地理院の地図を片手に自転車で近隣を走り回る、少し変わった子供だった。

柏市立第二中学校を卒業した後、父親が美術を教えに行っていた山形の基督教独立学園高等学校を勧められた。キリスト教思想家、内村鑑三の弟子である鈴木弼美(すけよし)が設立した全寮制の学校だ。モットーは「読むべきものは聖書。学ぶべきものは天然。為すべき事は労働」。生徒には受験勉強より読書や大自然の中での学びを体験させた。井崎はそんな校風にすっかり馴染み、雪降ろしや畑仕事に精を出した。積雪が3メートルを越す豪雪地帯で、自由な3年間を過ごした井崎はここで自給自足の寮生活をとことん楽しみ「同調圧力に負けず、本質的な問題解決を自分の頭で考える習慣が身についた」と振り返る。

子供の頃からの「地図好き」は高校に入ると都市の進化や構造への関心に高じ、高校2年の時、都市地理学の第一人者、服部銈二郎の本『都市の魅力』を読んで感銘を受けた。それがきっかけで服部が教鞭を執る立正大学に進む。東京・品川にキャンパスがある日蓮ゆかりの大学だ。「まちづくり」を本格的に学びたいと思った井崎は、サンフランシスコ州立大学の大学院に留学した。

大学院には世界中から留学生が集まっていた。インドや中国から来た留学生は地域や国の期待を一身に背負い「ここで都市計画を学んで故郷を立派な街にするんだ」と意気込んでいた。だれもが懸命に学び、言いたいことはハキハキ言う。「地図少年」だった井崎も大いに感化され、ポジティブに行動するようになった。髪の毛をアフロにし、「サタデー・ナイト・フィーバー」のジョン・トラボルタばりに大きな襟のシャツを着て、寮のディスコパーティーではアメリカ人に、「ディスコ・キッド！」と囃されるまでになっていた。

帰国して就職するつもりだったが、国内での仕事がほとんどだった当時の日本企業は留学生を採用したがらなかった。東京ディズニーランドを運営するオリエンタルランドが留学生を大量採用して留学生ブームに火がつく直前だった。

都市計画のプロ

そこで井崎は、ジェファーソン・アソシエイツというサンフランシスコの都市計画コンサルタント会社に就職した。米国の都市開発は、「デベロッパーが作って終わり」の日本とはかなり様子が違った。実際にマンションや商業施設を建設するデベロッパーと地域住民の間に「アーバン・プランナー」と呼ばれるコンサルタントが入り、双方の利害を調整する。井崎の会社がまさにこのアーバン・プランナーだった。井崎は言う。

「アーバン・プランナーは住民の話を聞き、『地元の人たちはこんな街づくりを望んでいる』とデベロッパーに伝えます。デベロッパーが何を作ろうとしているかも住民に伝え、最終的に『こんなプランでどうだろうか』とまとめていく。相互理解の上で価値の高い街を作っていくのです。売っておしまいの日本では、デベロッパーがマンションや商業施設を作りっぱなし。後先を考えない乱開発で、かえって不動産価値を下げてしまうこともよくあります」

ジェファーソン・アソシエイツからヒューストン公営交通局に出向した時の仕事ぶりが認められ、井崎はライバル会社のクォードラントコンサルタンツに引き抜かれる。この会社で井崎は南部から東海岸まで全米各地の地域開発や交通計画、環境アセスメントに携わる。クォードラントの本社があるヒューストンに家族で引っ越した。南部のヒューストンは、井崎が大学院の頃から慣れ親しんだ西海岸とはかなり様子が違った。

「今はずいぶん違うのでしょうが、当時の南部はまだ人種差別が残っていてローカルのテレビのニュースで『ベトナム人が殺された』みたいな話があって、1、2年後に『犯人は白人警官でした』と。KKK（クー・クラックス・クラン＝米国の白人至上主義団体）の本部もヒューストンにありマイノリティが安心して暮らせる街ではありませんでした」

しかし全米を飛び回る井崎がヒューストンにいる時間は長くない。苦労したのは留守宅を守る家族だった。

「そろそろ日本に帰りたい」と妻が言い始めた。すっかり米国に馴染み永住権も取った井崎は、この先もずっと米国で暮らすつもりだったが、妻にこう言われては仕方ない。

帰国を決意した井崎は１９８８年、日本のシンクタンク、住信基礎研究所（現三井住友トラスト基礎研究所）に転職した。だが会社に「アメリカの都市計画の成功例を調査してきて欲しい」と言われたので、最初の１年は相変わらずヒューストンで暮らした。

井崎は新しい職場でも、東南アジアを中心に世界中の都市を視察した。前の２社で訪れた都市を含め、訪ねた都市は５大陸１００都市に及んだ。井崎はこの時の研究の成果を『大都市問題改善に向けた５つの挑戦：東京メガシティプロジェクト』という本などにまとめている。

住信基礎研に転職した時点で日本に居を移すことが決まっていたので、家探しは88年頃から始めていた。井崎は言う。

「都市計画のプロとして、たとえこの目で物件を見ることはできなくても、ありとあらゆる条件を考え、将来的に最もポテンシャルが高いと判断したのが流山市だったのです」

１９８８年、井崎は実物を一度も見ることなく、流山駅から徒歩12分のところにあるマンションを購入した。帰国して住み始めたのは89年。井崎は趣味の自転車で駅まで通い、日本でのサラリーマン生活をスタートさせた。

筆者が流山に住んだわけ

余談になるが筆者も在住30年になる古手の流山市民である。井崎が流山に移り住んだ前年の88年、筆者は記者として日本経済新聞に入社した。

筆者が流山市民になった経緯を時代背景とともに説明してみよう。

新聞記者になった88年は、日本がバブル経済の真っ只中で住宅価格はとんでもなく高騰していた。いわゆる「億ション」の走りとされる広尾ガーデンヒルズの新築売出し価格（83年）は坪あたり２４０万円だったが、91年には１４５０万円に跳ね上がった。４ＬＤＫ（30坪）で４億３５００万円。普通のサラリーマンが「都内に家を持つ」のは夢物語に近かった。

働き始めた時は葛飾区の金町、90年に結婚してからは埼玉県和光市のアパートに住んでいた。今は「働き方改革」で記者もずいぶん早く帰宅するようになったが、筆者が働いていた頃は朝刊の締め切りが終わる深夜1時30分過ぎまで残ることが多かった。終電はとっくに終わっているので、社屋の地下の駐車場から同じ方面の2、３人が相乗りしてタクシーで帰るのだが、首都高速の池袋を過ぎると高島平の巨大な団地が見えてくる。

灯りもまばらな深夜のマンション群を見ながら「こんなにたくさんあるのに、俺には買えないのか」と無力感を味わった。

それでも子供が走り回る歳になると、少し広い家に住みたくなる。家賃も持ち家と同じカーブで高騰しており、馬鹿にならない。

「こんなに高い家賃を払うなら、ローンを組んだ方がいいかもしれない」

そう考え始めた筆者は、井崎に遅れること3年、持ち家作戦を開始した。名古屋の実家が戸建てだったこともあり、「どうせ買うならマンションではなく戸建て」と考えた。

都市計画の専門家ではないが、子供の頃、祖父が聞いていたラジオドラマ『日本沈没』を寝床で聞いて、地震の恐怖がトラウマになっていたので、素人なりに地図を見て活断層を避けた。地盤の硬そうな土地、すなわち台地を候補地にしたのだ。

通勤時間の許容範囲は1時間15分と設定した。すると会社のある大手町（東京・千代田区）を中心に半径40キロメートルの同心円が浮かび上がる。街の名前で行けば横浜、相模原、八王子、上尾、春日部、野田ときて、流山、柏が登場する。

その同心円は、筆者の日経グループの同期で、その後、東京工業大学教授に転じた柳瀬博一氏が「日本を創った道」と呼ぶ国道16号線の上に綺麗に並んでいる。なぜこの道を「日本を創った」と呼ぶのか知りたい方は、『国道16号線：「日本」を創った道』の一読をお勧めする。

今もそうだが首都圏の地価は西高東低。イメージ的には横浜が断然かっこいいが「横浜に戸建て」は無理な相談である。16号線沿線でなんとか手が出そうなのが東北方面。乗り換えなしで都心に出られる幹線だと埼玉県は高崎線の鴻巣、東北本線の蓮田あたり、千葉県は常磐線の柏あたりになる。

まだインターネットのない時代だったので、リクルートの情報誌「住宅情報」で目星をつけ、駅前不動産に飛び込んで物件を見て回った。そこで出会ったのが柏から東武アーバンパークラインで3駅（現在は4駅）先の江戸川台だった。

江戸川台駅の東口は駅を中心に放射線状に道路が走り、ほとんどの家が広々とした庭を備えている。ライトバンで連れてきてくれた不動産会社の社員が言った。

「この辺りは昔、田園調布に似せて開発されたんです」

地図を見ると、確かに駅を中心に放射状に4本の駅前通りが走り、それを曲線の道路が繋いでいる。しかも標高30メートル前後の高台だという。

開発したのは千葉県住宅供給公社で、超高級住宅街の田園調布とは比べるべくもないが、駅前から少し歩くと広い公園がいくつもあり、雑木林も残っている。

筆者の妻が「良さそうなところじゃない」と言ったかどうかは記憶に定かでないが、これまで見てきた街の中で一番気に入ったのは間違いなさそうだった。

最後に決め手となったのは常磐自動車道流山インターだ。先に触れた通り、新聞記者だった筆者は、毎晩深夜に乗合のタクシーで帰宅していた。バブル期なので普通のサラリーマンも午前様が当たり前で、深夜の高速道路は酔客を乗せたタクシーで大渋滞する。そんな中、東名、関越、東北道に比べると、常磐道は圧倒的に空いていた。夜中の1時半過ぎに大手町の本社地下を出発、神田橋ランプから首都高に乗り向島経由で常磐自動車道の流山インターまで30分しかかからないのだ。

同じ16号線沿いでも横浜方面だと渋谷を抜けるまでですでに1時間、大和トンネル付近でさらに渋滞。深夜0時～1時の時間帯だと「2時間かけてようやく、家に辿り着いた」という話をよく聞いた。流山なら箱崎ジャンクションで少し混み、松戸、柏を経由して同僚を落として行っても1時間あれば帰ることができる。

さらにバブル時代らしいエピソードを付け加えるなら、流山市民は深夜のタクシー運転手に大いにモテた。サラリーマンが六本木や銀座で毎晩、夜中まで飲み明かしていたバブル期、タクシーの数は圧倒的に不足しており、完璧な売り手市場だった。強いのは運転手の方だ。タクシー待ちの行列に30分以上並び、ようやく自分の番になっても、乗り込む前に「どこまで?」と聞かれ、行き先が近場だと無言でバタンッとドアを閉められた。乗車拒否がまかり通っていたのである。

だが流山は違う。「常磐道の流山まで」と告げると、運転手は「はいー!」とエビス顔になる。「ちょっと飛ばしますから、シートベルトだけお願いしますねえ」と時速120キロメートルでかっ飛ばす。行き帰り1時間で1万3000円。早く都心に戻れば、もういち往復できる。おいしい客なのだ。

「素人レベル」の計画図

井崎の話に戻る。

日本に戻って3年目の1991年、井崎は米国時代を含むそれまでの仕事の集大成として『快適都市の創造　21世紀のリバブルプレイスを求めて』という本を出版する。するとこの本を読んだ1人の経営者から連絡が入った。

「快適な職、住、遊を満たすリバブルプレイスという考え方に感銘を受けた。ぜひ知恵を借りたい」

　連絡してきたのは遊技業界のシンクタンク、エース総合研究所（現エンタテインメントビジネス総合研究所）の社長（当時）、平野宏だった。平野は遊技業界の健全化に取り組んでいた。平野は不法地帯からカジノ産業で一大観光地に変貌した米国のラスベガスに強い関心を寄せており「あの街がどうやって変貌を遂げたのか調べて欲しい」と井崎に頼んだ。

「面白い仕事だ」と思った井崎はエース総研に移り、ラスベガスのあるネバダ州に調査に出かけた。ネバダ州立大学などの協力を得て研究を進めた結果、ネバダ州の行政がギャンブル依存症などに様々な対策を打ち、業界と行政の癒着で利権が生まれない仕組みを作るなど、カジノ産業の健全化に並々ならぬ努力を続け、世界を代表するエンタテインメント・シティに創り変えてきたことがわかった。

　ラスベガスといえばホテルの奇抜なモニュメントや派手なネオンサインで知られるが、そこにも街の快適性を損なわないための工夫があることが分かった。井崎は調査の成果を『ラスベガスの挑戦　年間3百億ドルを稼ぎ出す眩惑都市の光と影』という本にまとめた。

転職、海外出張と忙しい日々が続いたが、それでも井崎は念願の持ち家と会社を往復しながら、充実したサラリーマン・ライフを満喫していた。

しかし、いざ住んでみると都市開発のプロの目で選んだ「いい街」にも、色々と粗が見えてくる。例えば、流山を選んだ最大の理由である緑だ。訪れた人にとっては「緑がいっぱいのいい街」だが、住民から見ると「危険な緑」という側面があった。

深い森は一部の不届きものにとって、不法投棄をする格好の場所だった。人通りが少なく街灯が整備されていない道は「痴漢の頻発地帯」として女性たちに恐れられていた。人が住む前提では、きちんと管理してこそ「豊かな自然」と言えるのだが、行政は「危険な緑」を「親しまれる緑」に変える努力をしていなかった。

やがて井崎は一市民として、流山市の行政に関わるようになる。本を何冊も出したことで「市内に都市開発のプロがいるらしい」と知った市に「開発の相談に乗って欲しい」と頼まれたのだ。

ある日、流山市の都市計画図を見た井崎は啞然とする。それは「素人レベル」の計画図だった。典型的なのは建物の高さ制限だ。当時でも東京23区の都市計画は、東西に伸びる道の南側の制限は甘く、北側の制限は厳しく設定する。南側に高い建物を立てても影になるのは道路だから日照権の問題は起きない。しかし流山市の計画図では、市街地の高さ制限は全て一緒だった。これでは南側の土地を有効に活用できないし、北側が日照権で揉めるのは目に見えている。

世田谷区や杉並区は道路ごとにきめ細かく規制を変える「専門家レベル」の都市計画図を持っている。土地のブランド価値を上げることに余念がないのだ。

流山の可能性がつぶされる

どんぶり勘定の計画で開発が進む流山市では、実際に住民同士のトラブルが絶えなかった。市内の至る所に「マンション建設反対！」「日照権を奪うな！」という立て看板や幟が立っていた。

そしてまもなく2000年という頃、井崎は衝撃的な事実を知らされる。新たに開設された流山インターチェンジの目の前に、クリーンセンター（ゴミ焼却炉）の建設計画が持ち上がったのだ。

地元の請願で常磐自動車道に流山インターチェンジが開設されたのは1992年。建設費償還のため、たった数百メートルの出口まで走るのに100円を徴収されたが、それまでは手前の三郷ジャンクションか先の柏インターで降りるしかなかった流山の利便性は上がった。

新しいインターは江戸川の辺りに作られた。河川敷の周りは田んぼと野原に囲まれ「新川耕地グランド」と呼ばれる運動場がポツンとあるくらいだった。市街地にあったゴミ焼却場が老朽化していたため、市はそこに新たな「クリーンセンター」を建設しようと計画したのだ。この話になると、井崎は今でも熱くなる。

「考えてみてください。クルマで流山市に来る人にとって、流山インターチェンジはいわば『駅前』です。流山の印象はそこで決まる。一等地なんですよ。電車の駅前にごみ焼却場を建てたら、人々はそこに住みたいと思いますか。それと同じです。インターの前のゴミ焼却場計画は、都市計画のイロハを知る人にとってはあり得ない計画です」

常磐新線（つくばエクスプレス）の開通を数年後に控え、市内のあちこちで開発が進んでいた。だがそれも井崎の目には「大きな可能性を持つ流山の可能性をつぶすものばかり」に映った。

誰もやらないのなら、自分がやる

「何とかしないと、流山が壊れていってしまう」

井崎は同じ考えの市民を集め、地元の有力者や市議に働きかけたり、当時の流山市長のところにも談判に行ったりした。しかし「ご意見は賜りました」で市のやり方は一向に変わらない。

当時の流山市長はすでに１９９１年から２期市長を務めている眉山俊光。中学の校長を経て市の教育長に就任したあと市長選に出馬して当選した。教育者としては地元で尊敬される人物だったが、99年の市長選の時にはすでに76歳に達しており、既得権を守ろうとする人々に担がれていた。

ここまでの経歴を見れば分かるように、井崎が政治家を志したことは一度もない。井崎はただ自分が住む流山市を、もっと住みやすく暮らしやすい街にしたいだけだった。しかしそれを実現するには政治の力が必要だ。

「誰もやらないのなら、自分がやるしかない」

そう考えた井崎は１９９９年の流山市長選挙への立候補を決意する。最初から勝ち目のない戦いだった。どの政党からの支持も受けない井崎は、支援者の家に主婦を集め、70回の対話集会を重ねて「こうすれば流山はもっとよくなる」と訴えた。草の根の支援層は徐々に浸透していったが、如何せん時間が足りない。投票日は4月25日。即日開票の結果、現職の眉山が28333票を集め3選を果たした。無名の新人で45歳の井崎は20344票の次点だった。

敗れた井崎は、2003年の選挙に向け市民の声を聞くことに全力を傾けた。選挙前の半年間、支援者の自宅を訪れ170回の対話集会を開き、「この政策でいくらの損失が出ている」「こうすれば良くなる」と具体的な課題と解決策を訴えた。

他の地方都市と同様、しがらみに凝り固まっていた流山市の名士の中には、市民運動を足掛かりに市長を目指す井崎を良く思わない人々も少なくなかった。

「あんたはマンション住まいだから、新住民ですらない。仮住民だな」

そんな岩盤層を切り崩したのは女性たちの力だった。まず景観保全や自然保護の活動をしていた女性たちが井崎の陣営に加わった。やがて定年退職したサラリーマンが加わり、対話集会の動員で力を発揮した。既存の権力基盤の支持を受けた地元の有力者が市長や市議会議員になる昔ながらの市政に、新しい風が吹き始めた。

2003年の市長選の相手は長らく流山市で市議を務め前市長の後継者を謳う熊田仁一。新人同士の争いは34682票対21522票で井崎の圧勝に終わった。

第3章　市議になるなら流山　近藤みほ

保育園に入れる街を求めて

グーグルで「流山市、近藤」と検索すると、明治の新政府軍に流山で捕まった新撰組局長「近藤勇」の次にヒットするのが彼女。流山市議会議員の近藤みほである。流山で働きながら2人の子供を育てる近藤は、流山の「今」を象徴する人物だ。

「保育園落ちた日本死ね！！！」

はてなブログの匿名ダイアリーに投稿された待機児童問題を批判するこの一文は、大きな社会的反響を呼び、2016年の「流行語大賞」にも選ばれた。投稿された冒頭部分はこうだ。

「何なんだよ日本。

一億総活躍社会じゃねーのかよ。

昨日見事に保育園落ちたわ。

どうすんだよ私活躍出来ねーじゃねーか。

子供を産んで子育てして社会に出て働いて税金納めてやるって言ってるのに日本は何が不満なんだ?

何が少子化だよクソ。—匿名(Twitterアカウント名:保育園落ちた人)、保育園落ちた日本死ね!!!」


「日本死ね!!!」という汚い言葉に賛否両論が沸き起こったが、その後Twitterに「#(ハッシュタグ)保育園落ちたの私だ」で山のような投稿が集まり、今の日本で働きながら子育てをする女性たちが置かれている絶望的な状況に光が当たった。


2010年に出産した時の近藤の心境はまさに「日本死ね!!!」だった。

東京都立大学の大学院で建築学を学んだ近藤は、日本の構造設計事務所の草分けで東証ジャスダック(現在の東証スタンダードに相当)に上場する構造計画研究所でエンジニアとしてバリバリ働いていた。

仕事は楽しくて仕方がない。もちろん子育てもないがしろにしたくない。だが当時住んでいた東京・世田谷区では待機児童が多くて保育園に入れる保証がなかった。

「ちょっと待って。私はこんなに仕事が好きなのに、子供が生まれただけで会社を辞めなきゃならないの？」

「実力があっても保育園に入れないだけで、仕事を続けられないの？」

「そもそも保育園に入れないって何？」

日本という国そのものが、専業主婦をベースにできていて、女性が働きながら子供を育てられる仕組みになっていなかった。

近藤は茨城県潮来市で育った。女手一つで近藤を育てた母はＮＴＴ東日本の電話交換手から営業職に転じ、トップクラスの成績を上げて研修旅行で渡米するまでになったやり手だ。潮来市は保守的な土地柄だったが、気丈な母に育てられた近藤は「男女平等が当たり前」と考えていた。地元屈指の進学校、鹿嶋市の清真学園に進学。理系を選んだ。

大学に入学した時、教授は「うちの大学を出ておけば、どこでも好きな会社に入れるよ」と嘯いた。だが近藤が就職活動を始めるタイミングで日本経済のバブルが崩壊する。「ぜひウチに」と言っていた大企業が「建築に女子は採らない」と突然、門戸を閉ざした。大学を出ても正社員になれず、非正規雇用が急増した。１９７４年生まれの近藤は、いわゆるロスジェネ世代だ。

建築だけをやっていたら、近藤も正社員になれなかったかもしれない。しかし近藤はハマり、１９９５年に発売されたマイクロソフトの「Windows95」をきっかけにパソコンにハマり、プログラミングで構造解析ができるところまで腕を上げていた。そのスキルが身を助ける。構造計画研究所という会社に就職できた。

構造計画は従業員５００人で売上高１００億円、経常利益10億円を稼ぎ出す高収益企業で、建築物の構造設計やその支援システムの提供といったエンジニアリング・コンサルティングや、そうした分野のソフトウエアを販売していた。少数精鋭のエンジニア集団である。実力本位で男女、老若の差別がなく、勉強のために必要な本は十分に購入できた。新人から事業に貢献するためのスキルアップが奨励され、10万円以上の研修費がつく、恵まれた会社だった。

その分、仕事は厳しい。入社2年目で一つのプロジェクトを任され、技術提案から見積もり、設計、製造、納品まで全てをやらされる。今ならブラック企業だが、やり甲斐もあった。バリバリ働きたい近藤にはピッタリの会社で、夜の11時過ぎに帰宅しても早く仕事がしたくて朝6時に目が覚めた。

構造計画には、将来の管理職育成のため、現場の人間を経営企画部に異動させる慣例があり、近藤も人材戦略や事業開発の仕事を経験した。

新しい環境で仕事に夢中になっていた近藤も結婚し、子供ができる。ここで順風満帆だった近藤の人生に巨大な壁が立ちはだかった。その頃、住んでいた東京・下北沢の周辺は待機児童の多さが問題になっていた。保育園が見つからないまま産休が終われば、会社を辞めなくてはならない。

「とにかく保育園に入れる場所を探そう」と家探しが始まった。ちょうどその頃、弟夫婦がマンションを買った。最寄り駅は「流山おおたかの森」だという。

聞いたことのない駅名だったが、とりあえず見に行くことにした。つくばエクスプレスを降りると、できたばかりの流山おおたかの森S・Cを左に見ながら南口の階段を降りた。

階段を降りたところには駅前広場が広がっている。大きな欅の木が何本も葉を茂らせ、緑の芝生がある。

近藤の頭に一つのイメージが広がった。

お腹にいる娘が大きくなり、元気に階段を駆け下りていく。その先に広がる緑いっぱいの広場。夫と近藤はニコニコ笑いながら娘の後ろ姿を眺めている。

「あ、ここなら安心して子供を育てられる」

「共働き子育て世代」向けの施策

南口の駅前広場は、つくばエクスプレスの高架と流山おおたかの森S・Cに挟まれ自動車の乗り入れができない。木陰や芝生で親子連れがのんびりくつろいでいる。通りを挟んだおおたかの森駅南口公園は奥に向かって緩やかに登っており、そこにも楠が生い茂る。奥にはツツジを植えた築山があり、その隣にマンションが建っている。木陰ではママチャリを止めた母親、父親たちが、公園で子供を遊ばせながら楽しそうに話している。

都市にある「普通の駅前」は、こんな風に作られていない。改札をくぐれば目の前にタクシー乗り場、バス乗り場があり、パチンコ店や飲み屋が軒を連ねる。子供が走り出したら、親は慌てて手を引くだろう。大人には便利でも、小さな子供には危険がいっぱいだ。子供を守ることを第一に考える母親は、そうした雰囲気を敏感に感じ取る。

「いいんじゃない、ここ」

家に帰ってパソコンで流山市の子育て支援制度を調べると、さらに驚いた。

流山おおたかの森駅と南流山駅で近く「送迎保育ステーション」というサービスが始まるらしい。通勤時に駅ナカのステーションに子供を預けるとそこから、通っている保育園までバスで子供を送ってくれる。夕方になるとそのバスが近隣の保育園を廻って子供を集め、親が迎えに来るまで駅ナカのステーションで預かっていてくれる。料金は月２０００円、１日１００円だという。送迎の対象となる保育園は流山市立に限らず、私立でもＯＫだ。

流山市のホームページには、このほかにも数々の子育て世帯支援策が記されており、そこここで「ＤＥＷＫＳ（ダブル・エンプロイド・ウィズ・キッズ＝共働きの子育て世代）」という言葉が使われていた。自分たちのことだ。

「こんな自治体が本当にあるんだ！」

「日本死ね！！！」の絶望を味わっていた近藤には、流山市という自治体が「どうぞここで子育ても仕事も思う存分にやってください」と自分に向かって手を広げているように思えた。

流山市民になった近藤は首尾よく保育所を見つけ、産休が終わると仕事に戻った。もちろん送迎保育ステーションをフル活用したが、ステーションが開いているのは午後8時まで。以前のように深夜まで働くわけにはいかない。

それでも流山市は働く近藤の背中を押してくれた。「今日もお迎えがギリギリになりそうです」と職場から電話を入れると、男性の保育士は力強く言った。

「僕が見てますから、慌てなくて大丈夫ですよ」

ステーションには夕食も食べさせてもらえる環境があった。8時に迎えにいくと、娘が「ママー」と駆け寄ってくる。後ろで保育士が「お母さん、今日もお疲れ様でした」と笑っている。ありがたくて涙が出た。

ただ前述の通り、近藤が働く会社は少数精鋭の実力主義である。どんなに効率を上げても、育児で働く時間が短くなり、同僚と同じ成果は出せない。

「ちょっとワーク・ライフ・バランスを見直したいんですけど」

相談すると社長は言った。

「そんなもん、ワークもライフも全力だろ」

近藤もそういう考え方は嫌いではない。

「それもそうですね」

育児と仕事を両立させようと、さらにアクセルを踏んだ。

限界を悟ったのは第二子を身籠った時だ。つわりがひどく、秋葉原まで30分のつくばエクスプレスに耐えられない。電車に酔ってしまうのだ。大きなお腹と小さな長女を抱えながら全開で働くのも無理だった。

それでもじっとしていられない近藤は育休に入ると、地元でボランティア活動を始める。そこで出会ったのが尾崎えり子だ。

データを揃え市長を説得

尾崎は近藤より9歳年下の1983年生まれ。香川県の高校で野球部に入って男子生徒と一緒にノックを受け、応援団長もやった。母親の尾崎美恵は子育てを終えた43歳で岡山大学大学院に入学、フランス語を学び、四国の讃岐うどんやお遍路をフランスに売り込む活動を始めた。EU大統領に手紙を書き、アポを取り付けて会いにいく。一部始終は『すごいお母さん、EUの大統領に会う』という本にまとまっている。

そんな母親の娘だから、尾崎も普通の人生では収まらない。早稲田大学法学部を卒業後、リクルート出身の小笹芳央が作った経営コンサルティング会社のリンクアンドモチベーションに入社。ベンチャー企業への組織・人事コンサルティングなどに携わったが、第一子の育休から復帰後、転職先で幼児向けスポーツ通信教材を手掛ける子会社の代表取締役に就任した。

尾崎も近藤同様、子育てと仕事が両立できる環境を求めて流山市にたどり着く。2010年のことだ。第二子の育休が終わり職場に復帰した直後、子供を保育園に送って都内の職場に着くと、保育園から「お子さんが発熱しています」と電話が入り、トンボ帰りした。

社長という責任ある立場にあったこともあり、育児をしながらフルパワーで働くのは難しいと考えた尾崎は仕事を辞める。

近藤と出会ったのはこの頃だ。

「どうしたら子供を育てながら目一杯働けるようになるんだろうね」

同じ壁にぶち当たった2人は長い時間をかけて話し合った。

そして2011年、近藤の運命が大きく動く。3月11日、東日本大震災。東京電力の福島第一原発の1、2、3号機で炉心溶融（メルトダウン）が起こり、大量の放射性物質が外部に放出された。3月15日には2号機の圧力抑制室が破損し、プルーム（放射性雲）が南の風に乗って関東地方に流れ、放射能の雨を降らせた。

そして7月、朝日新聞社の「AERA」に衝撃的な記事が出る。

「ホットスポット『東京100カ所』『松戸と流山50カ所』最高値は流山の公園2・23マイクロシーベルト」

近藤の住むマンションは「汚染マンション」と名指しされたも同然だ。

同じマンションに住むママ友たちは、どうしていいか分からずに泣いている。マンション管理組合の理事長になった近藤は市役所に乗り込み、市長の井崎義治に直談判した。

「福島より高い線量じゃないですか。なんとかしてください」

井崎は突っぱねた。

「そんな事実はありません」

井崎率いる流山市が「母になるなら、流山市。」のキャッチコピーで子育て世帯の誘致を本格化したのが2010年。つくばエクスプレス沿線に続々とファミリー向けのマンションが立ち、思惑通りに人が集まり始めた矢先である。井崎にすれば「汚染」という言葉は認めたくないところだったであろう。線量が高いと指摘された時、マンションの他の理事は言った。

「全戸の庭を除染するには3億円かかる。そんな金はない」

だがここで「はいそうですか」と泣き寝入りする近藤ではない。この人たちは何を根拠に「汚染の事実はない」「除染には3億円かかる」などと言っているのか。データ解析を生業としてきたエンジニア魂に火がついた。

近藤は心配していた母親たちと線量を測り、放射性物質の分布状況を調べた。放射性物質の多くは水溶性なので雨に流されて低いところに溜まる。公園は水捌けをよくするため中央が高く、周辺が低くなっているが、公園の隅っこの水たまりは子供たちのお気に入りの遊び場だ。ゾッとしたが、逆に言えば隅っこだけ除染すれば公園は安全になる。

マンションも同じだ。敷地の全てを除染する必要はない。雨水に流されて放射性物質が溜まったところだけを除染すれば、被曝の危険は大幅に減らすことができる。限定的な除染なら「1戸あたり1万円で済む」と近藤は試算した。

自前の測定値や環境省、国際放射線防護委員会の見解に基づいてデータを揃え、近藤は再び井崎の元を訪れた。井崎は近藤が差し出した資料に目を通すと、感心して言った。

「やりましょう」

井崎は除染対策を約束した。サンフランシスコ州立大学の大学院で都市地理学を学んだ井崎も近藤と同じ理論派であり、データを読む能力に長けている。データに従って意思決定するＥＢＰＭ（エビデンス・ベースド・ポリシー・メイキング＝証拠に依拠した政策判断）は井崎の売り物の一つだ。

行政の対応が早かったため「汚染」報道の風評が広がることはなく、住民の暮らしもやがて平穏を取り戻した。

「この人は、こちらがアプローチを間違わなければやってくれる人だ」

近藤の中に井崎への信頼が生まれた。

「今は転入してこないで！」

そんな近藤の奮闘ぶりを見ていたのが、リクルート出身で１９９９年から流山市議を務める松野豊だ。

「近藤さん、市議に立候補しないか？」

同じ頃、女性のワーク・ライフ・バランスをめぐる近藤と尾崎の対話は実行レベルにまで煮詰まっていた。

「私が市議に立候補してママたちの声を行政に届ける」

と近藤が言うと、

「じゃあ私は民間で事業を起こす」

と尾崎が言った。

2014年、尾崎はベンチャー企業「新閃力」を立ち上げた。中・高・大学生のアイデアを企業の商品開発に役立てたり、子供を持つ女性の起業を支援したり、子供のキャリア教育を支援したり、起業した人々が気軽に使えるシェアオフィスを運営したりする会社だ。同じ年、近藤は会社を辞め、選挙の準備に入る。

2015年、近藤は流山市のあちこちで街頭に立った。会社立ち上げの合間を縫って尾崎が駆けつけた。ジバン(地盤=支持組織)もカンバン(看板=知名度)もカバン(鞄=資金)もない近藤を押し上げたのは、近藤や尾崎と同じ悩みを抱える流山のママたちだった。

「流山を日本一子育てしやすい街にします!」

近藤のメッセージは流山市の有権者に刺さった。無所属の初出馬ながら2045票を獲得し37人の立候補者の中で9位に入り、見事当選。40歳にして市議になった。

しかし初当選の喜びに浸る近藤に、ベテラン議員が言った。

「仕事ができるのは当選3回目からだからな」

初めのうちは大人しくしていろ、というわけだ。

「意味が分からない」

議会が始まると近藤はフルスロットルで動き始める。まずは「母になるなら、流山市。」のバージョンアップだ。選挙運動を手伝ってくれたママたちからこんな声が上がっていた。

「確かに保育園はすごいスピードで増えてるけど、玉石混交。いい保育園ととんでもない保育園がある」

「待機児童ゼロ」を目玉政策に掲げる井崎は、とにかく流山市内の保育所を増やそうとしていた。200戸を超える大型マンションには「必ず保育園を併設してくれ」と仕組みを作り、競争を嫌がる市内の保育園運営法人をなだめて市外の法人を呼び込んだ。

井崎の号令で市内の保育園は順調に増え子育て環境が充実しているように見えた。しかし、質が伴っていない保育園や子育て支援センターも散見された。例えば保育所の数が多くても保育士が少なければ子供に目が行き届かず、ママたちは安心して預けられない。

「量だけではダメ。質も上げるための仕組みをつくらないと」

近藤は井崎に詰め寄った。しかし井崎は「待機児童は喫緊の問題。まずは量」と耳を貸さない。「放射能問題」の一件以来、近藤と井崎の間には一定の信頼関係ができていたが、だからといって言いなりになるわけではない。近藤はゲリラ戦に打って出た。自分のブログにこう書いた。

「流山市に転入をお考えの子育て世代の皆さん。申し訳ありませんが、もう少し待ってください」

保育の質を上げるには保育士の数を増やさなくてはならない。保育園、幼稚園に通う子供は数年で小学校に上がる。学校が終わった後に小学生を預かる学童保育や児童センターも充実させなければならない。議会を動かして必要な制度を作るには時間がかかる。

しかし井崎が仕掛けた「母になるなら、流山市。」のキャンペーンは、まさに近藤自身がその虜になったように、首都圏で働く子育て世代の心を鷲掴みにし、凄まじい勢いで転入者が増えていた。当時、近藤は子供の増加に対して学校の整備が追いつかないと試算しており、それは無責任だと考えた。

だから「今は転入してこないで」と訴えたのだ。

最大会派の幹事長に

流山市を「緑豊かで住みやすい街」にし、子育て世代にターゲットを絞った支援策で人口を増やし、商業施設を充実させて経済的な繁栄をもたらす。井崎の政策にとって「人口流入」は要である。そこへ「今は来ないで」とやった近藤は、井崎に正面から喧嘩を売った事になる。これには井崎も怒った。

ここでも近藤はデータを駆使する。流山市で保育園や学童保育の整備が間に合わない理由の一つに「人口推計モデル」があった。この時、流山市が使っていた人口推計の計算モデルは、一般的な自治体と同じ「3年モデル」だった。「今のペースで人口が流入すると3年後に子供の数は何人になっている」と推計するのだ。

しかし流山市で起きているのは、まさに「異常事態」である。3年後の子供の数は常に推計を大幅に超えていた。近藤は「3年推計では先手が打てない。6年モデルにすべきだ」と訴えた。

2017年5月、近藤の心配が現実のものになる。ある市民がネットにこんなタイトルの投稿をしたのだ。

「母になるなら流山市はやめろ父になるなら流山市はやめろ」

文章はこう続く。

「何なんだよ千葉県流山市。（中略）教育方針や環境の優れた新設小学校の学区という謳い文句で分譲マンション買って転入してきたのに『予想より児童数が急増したので古い学校に通ってくれ』だって。母になるなら流山、父になるなら流山、子育ての街流山じゃねーのかよ。羊も犬もびっくりの羊頭狗肉だよ」

投稿によると、目の前にある新設小学校の学区内のマンションを買ったはずだったのに、子供が入学する際、市から「1・5km先の古い小学校の学区に変更になる」と説明を受けたという。

つくばエクスプレスが開通してから10年、流山市の子供の数は右肩上がりに増えていた。2017年4月1日時点で12歳未満の人口は、10年前の1・34倍だ。

近藤の提案を入れて「6年モデル」で推計してみると、2023年度までに小学生の数は2〜3倍に増え、近隣の小学校が軒並みパンクすることがわかった。2015年度に新設された流山市立おおたかの森小学校の児童数は開校3年目には1000人に達したが、６年後には３０００人近くになる。井崎は流山おおたかの森駅の周辺にもう二つ小学校を新設することを決めた。

無所属の近藤は市議会の一般質問に必ず登壇することにしている。1年生議員の頃は、古参の議員がヤジを飛ばして近藤の質問を遮ろうとした。だが、そんなことをされればかえって燃える性分だ。理路整然とデータを並べ、古参議員たちを説き伏せた。

「しばらくは大人しくしていろ」と釘を刺された1期目。近藤は自分のところに集まってくる流山市のママたちの声をひたすら市議会に届けた。２ヶ所の児童センター設置や、流山おおたかの森駅前に建設予定だったパチンコ店の出店に対する住民の反対の声を届け、最終的に撤退を促すなどの成果を上げた。そして２０１９年、二度目の選挙では３４９３票を獲得し2位で当選した。流山市議会の最大会派「流政会」の幹事長に就任した近藤の目標は、「母になるなら、流山市。」を「母（父）になっても楽しく働き続けられる、流山市。」にバージョンアップすることだ。

第4章　「母になるなら、流山市。」流山市改造計画

財政危機

１９９７年、都市コンサルタントとして働いていた井崎は、そのデータ分析力を買われて市の職員に呼ばれ、話をするようになっていた。それもあってある日、地元のコミュニティー紙「ながれやま朝日」から「流山市の財政を分析して市民向けの分かりやすい原稿を書いてほしい」と頼まれた。自著の執筆で忙しかった井崎は別の人物を紹介するが、その人に断られ、結局、井崎が書くことになった。

改めて調べてみると、流山市の財政は危機的な状況に向かっていた。

１９９７年度の市の支出は３４４億円、収入は３５５億円だが、収入のうち「真水」の市税は１９０億円で残りの１６５億円は市債や地方交付税。市債の累計は２９９億円で市税を大きく上回っている。

収支を改善するには市税による収入を増やす、つまり納税者と納税額を増やすか、支出を減らすしかない。

では市税は増えるか。

発足した１９６７年の時点で５万人に満たなかった流山市の人口は、20万人を超えた今日に至るまで、一貫して増えている。だが井崎義治が流山市長になった２００３年、流山市の年間人口社会増減率（出生数から死亡数を引いた自然増に転入・転出による増減を加えた数字）はマイナス０・３％。15歳から64歳の生産年齢人口も減り始めていた。日本全体の少子化より数年早く、流山市は少子高齢化の波に飲まれようとしていた。

このトレンドだと市税は増えず高齢化に関わる支出が増える負のスパイラルにハマってしまう。

「何か手を打たないと、いずれ財政がもたなくなります」

井崎は市長に面会して「財政再建」の必要性を訴えた。すると当時の市長、眉山俊光は別れ際にこう言った。

「君とは二度と会うことはないだろう」

一介の市民が市政に口出しするなど「ありえない」と考えたのだろう。

江戸時代、「醬油の野田」「みりんの流山」と並び称された流山の歴史は古く、その頃から住み続ける地元の有力者もいる。そんな人々は井崎に言った。

「あんたは新住民どころか、仮住民なんだからな」

最近マンションに引っ越してきた新参者の井崎のような人間が「大きな顔をするな」と言うわけだ。

共産党を除くオール与党の市長を取り巻くのはそんな人々であり、総じて財政問題には無頓着だった。

彼らにとって地方政治とは中央から金や権益を引っ張ってくることであり、つくばエクスプレスの開通はその最たるものだ。「2005年につくばエクスプレスが開通すれば、人口や税収は放っておいても増える」という楽観が市役所や市議会を覆っていたが、沿線の街の中で流山市の知名度は断トツに低かった。

妻は出馬に大反対

井崎から見れば、「つくばエクスプレス」こそ、財政の大問題だった。つくばエクスプレスは茨城県、東京都、千葉県などが出資する首都圏新都市鉄道が運営する。第三セクター方式なので、沿線の自治体は駅の数に応じて建設資金を負担しなくてはならない。流山市は98億円を出資した。

流山市には「南流山」「流山セントラルパーク」「流山おおたかの森」と三つも駅があり、区画整理事業の市負担額は５９４億円に及んだ。人口15万人の流山市にすれば、金利だけを考えても大きすぎる負担である。

市税収入が１９０億円しかない小さな市が年収の３倍以上の借金を背負うわけだ。区画整理した土地が売れなければ、工業団地が売れずに行き詰った夕張市のようになりかねない。

公共工事の事業規模が予算を上回るのはよくあることである。まして鉄道の新線となれば、沿線の道路や上下水道整備だけを考えても、投資が計画を上回ることは容易に想像できた。新線誘致は人口増やそれに伴う税収増をもたらすが、高齢化に伴う福祉予算の増大もあり、最終的には支出の増大が税収増を上回る。

「流山市の財政は２００６年に破綻しかねない」

それが井崎の出した答えだった。

だが市長をはじめとする当時の流山市は聞く耳を持たない。無党派有志の会は市政を刷新するため、1999年の市長選に候補を立てることになった。

しかし「我こそは」という人はなかなか現れない。

そのうち井崎の中に「他人任せでいいのか」という気持ちが芽生え、自分がやるべきではないかと考え始める。

妻の明子は反対した。

「流山が危機的状況にあることはわかったけれど、市長になるのはあなたでなくてもいいでしょう」

何度も言うが、井崎は一介の市民で、ただのサラリーマンである。選挙に必要と言われる地盤も看板も鞄もない。共産党を除く全ての政党が支持する現職の市長に挑むわけだから、どこかの政党を頼るわけにもいかない。

全てゼロから手作りの選挙になり、家族、中でも妻には並々ならぬ負担がかかる。そもそも明子は政治家の妻になるつもりで井崎と結婚したわけではない。あちこち連れまわされて「井崎の家内でございます」と頭を下げる自分など、想像もできなかった。

そこからは毎晩が夫婦喧嘩である。どちらも一度言い出したら聞かないタイプ。明子は知人に「離婚してでも（立候補を）やめさせなさい」と言われ、思い詰めたこともあった。

　一方、井崎は、市長になって流山を変えることが自分の使命だという確信を深めた。アーバン・プランナーとして地域計画に20年係わってきたノウハウを生かせば、流山の可能性をもっと引き出せると考えた。やがて明子も夫の使命感を理解し、家庭内の問題は解決を見た。

　準備期間４ヶ月。１９９８年12月末、翌年の市長選に井崎が立候補を決めた。全て手作りで挑んだ最初の選挙は、戦い方が分からず、次点に終わってしまった。結果は現職の眉山が２万８０００票、井崎が２万票。無名の新人として８０００票の差は「善戦」と言ってもいい。

市長選大勝利

　井崎も妻も選挙が終わった直後は一介のサラリーマンとして「やることはやった」と思った。だが、支援者にとってはこれが終わりではなかった。

「ここが足らなかった」

「次はこうしよう」

　有志たちは、４年後に向けてやる気満々。もはや井崎も自分１人の意思で降りるわけにはいかなくなっていた。こうなったら腹を括るしかない。

2000年に英国国立ウェールズ大学大学院が日本に開設した「環境プログラム」の助教授になり、2002年12月、井崎は会社を辞めた。井崎は日本で講義や論文指導をすればよく、時間の融通が効くので政治活動に使える時間が増えた。

このウェールズ大学大学院が日本の文部科学省の管轄下でなかったため、2003年の市長選で対立陣営は「経歴詐称」と騒ぎ立てた。しかし試験と論文審査に通れば英国の理学修士号が取得できるプログラムなので、詐称にはあたらない。

2003年の市長選。高齢の眉山は不出馬を表明し、流山市議会議員を長く務めた熊田仁一との一騎討ちになった。熊田は眉山と自民党、社民党などの支援を取り付けていた。組織戦では勝てない井崎はひたすら対話集会を繰り返し、告示日までにその回数は170回を超え、延べ2500人が参加した。

井崎の公約は大きく分けると三つ。

まず財政破綻を防ぐための「1円まで活かす市政」。市長の給与を20%カットし、これを嚆矢に財政改革に切り込むことを約束した。次に民間企業での経験を生かした「行政は市民へのサービス業」。そして都市計画コンサルタントならではの「流山の可能性を引き出す街づくり」。支援者の自宅に知り合いを呼んでもらい、集まったのが４、５人でも井崎は熱心に自分の政策を説いた。

２００３年の選挙は組織戦vsゲリラ戦の様相を呈し、既存政党のバックアップを受けた熊田が優位に見えた。投票日前日の夕方には、住宅地の江戸川台駅前に集まった２００人の聴衆に向かい、17台の選挙カーの上から熊田と前市長、自民党、社民党の現職県議らが手を振った。選挙カーの群が去った後、井崎を乗せた車が１台だけで入ってきた。

「やっぱり今度もダメかもしれない」

江戸川台駅に様子を見に行っていた井崎の支援者は、そう思った。

投票日は４月27日。開票が始まって30分後の午後８時半、開票場の流山市総合運動公園体育館に行っていた支援スタッフから電話が入る。

「大勝利ですよ」

「え、まだ開票が始まったばかりなのに？」

連絡を受けた井崎の妻は俄かに信じがたい気持ちだったが、スタッフによると開票用のテーブルに候補者別で積まれた票の差が歴然だと言う。スタッフの言った通り、開票が終わると井崎の得票は３４６８２票。２１５２２票の熊田を大きく引き離す圧勝だった。

「本当にこれは、市民の勝利です」

ガソリンスタンドに作った選挙事務所は歓喜に沸き、井崎がそれに答えた。支援者の女性が小さな声でつぶやいた。

「神様って、ほんとうにいるんですね」

村上春樹風「もう一つの未来」

流山が人口増加率ナンバーワンの「子供が増える街」になったのは全て井崎の功績と言うつもりはない。だが2003年の市長選挙がターニングポイントになったのは間違いない。もしこの時、井崎が市長になっていなければ、流山市はこんな具合になっていたかもしれない。村上春樹風に描いてみよう。

◇◇◇

去年のクリスマスは雨だった。夕方6時の**流山中央駅**。**駅前のパチンコ店**では、サンタクロースの衣装を着たサンドイッチマンが少しばかりムキになって客を呼び込んでいる。

僕はつくばエクスプレスの高架下に並ぶ**コンビニと居酒屋**の間に立って雨宿りをしていた。いつもなら家を出る前に朝のニュースの天気予報を見るのだが、この日は少しばかり寝坊をして、雨の予報を知らないまま傘を持たずに出かけてしまった。

このまま雨宿りを続けるか、コンビニで傘を買うか。迷っているところでスマホがブルッと振動した。中央駅から徒歩10分の**タワーマンション**の部屋にいる妻からだった。数ヶ月前、僕たちはこの街に引っ越してきた。スマホの向こうで彼女が言った。

「**流山中央のスーパー**でコーヒーを買ってきて欲しいの。いつものブレンドでいいわ」

僕は言った。

「わかった。でも**流山運動公園の体育館**のジムでひと汗かいていくから、少し遅くなる」

「いいわ。待ってる」

いつものことだが、用事が済むと彼女はすぐに電話を切る。やれやれ。僕はスマホをポケットにしまうと**駅前のスーパー**に向かった。

井崎が市長になったことで物語はこう変わった。

去年のクリスマスは雨だった。夕方6時の**流山おおたかの森駅**。僕は目を細めてイルミネーションで煌めく欅の木を見つめていた。小さなレインコートを着た男の子が芝生の水たまりをバシャバシャやっている。

僕はつくばエクスプレスの高架下の**カフェ**の軒下で雨宿りをしていた。店の前には赤と緑にラップされたポインセチアが並んでいる。いつもなら家を出る前に朝のニュースの天気予報を見るのだが、この日は少しばかり寝坊をして、雨の予報を知らないまま傘を持たずに出かけてしまった。

このまま雨宿りを続けるか、隣の雑貨店で傘を買うか。迷っているところでスマホがブルッと振動した。**おおたかの森駅**から徒歩10分のマンションの部屋にいる妻からだ。数ヶ月前、僕らは**認可保育園付きのこのマンション**に引っ越してきた。僕らにまだ子供はいないが2人とも「そろそろ」と思っている。スマホの向こうで彼女が言った。

「**おおたかの森S・C**の**フォション**で紅茶を買ってきて欲しいの。いつものダージリンがいいわ」

　僕は言った。

「わかった。でも**キッコーマンアリーナ**のジムでひと汗かいていくから、少し遅くなる」

「いいわ。待ってる」

　いつものことだが、用事が済むと彼女はすぐに電話を切る。やれやれ。僕はスマホをポケットにしまうと**おおたかの森S・C**に向かった。


　これが「流山の可能性を引き出す街づくり」の一端である。

「流山中央」→「流山おおたかの森」


　市長になって3年目の2005年春。つくばエクスプレスの開業を間近に控え、首都圏新都市鉄道の幹部から井崎に電話が入った。幹部は言った。

「新線の呼称ですが、『つくばエクスプレス』をよりシャープに『TX』で行こうと思います」

「ほうＴＸですか」

井崎はピンときた。

「わかりました。こちらも考えます」

電話が切れると、井崎はすぐに都市計画部の担当者を呼んだ。

「駅名検討委員会を立ち上げる。すぐに人選を」

流山にできる三つの駅はすでに名前が決まっていた。都心からつくば市に向かう順に「南流山」「流山運動公園」「流山中央」。前市長の時代の駅舎検討委員会が駅名も決めたのだ。

「こんなに可能性が広がってきたのに、本当に『流山中央』でいいんですか」

市民からもそんな声が上っていた。

駅名検討委員会を立ち上げるとき、井崎には意中の人物がいた。流山市在住で、コピーライターとしてこの分野で活躍していた数名の専門家だ。

３人のコピーライターと、それぞれ駅前の土地を持つ地権者代表３人で立ち上げた駅名検討委員会は、侃侃諤諤の議論の末、新しい駅名候補を上げてきた。

「南流山」はそのまま。「流山運動公園」は「流山セントラルパーク」に、「流山中央」

は「流山おおたかの森」に変更されていた。

「なるほど」

駅名候補を見た井崎は膝を打ったが、少し気になることもあった。

「セントラルパークかぁ」

中央公園だからセントラルパーク。それは分かるが、セントラルパークと言えばまず思い浮かぶのがニューヨークのセントラルパーク。ニューヨーカーがジョギングし、世界中の観光客が押し寄せる世界屈指の公園である。「ええっ、これがセントラルパーク?」という訪れた人の声が聞こえてきそうで、気恥ずかしい。

おおたかの森は、この場所に大鷹が生息していることに由来する。大鷹を「おおたか」と平仮名にしたところはさすがだが、地権者からは「これから開発しようというのに、森では田舎のイメージが抜けない」と反対の声が上がっていた。

しかし井崎はビジネスマンとして生きてきた20年余りの経験から、一つの教訓を学んでいた。「大事な仕事はプロに任せろ」である。

プロは自分の生活をかけて仕事をする。一流と呼ばれる人ほど、どんな仕事も手を抜かない。ここ一番は、一流のプロに頼んだ方がいい結果が出ることを井崎は身を以て知っていた。

「これでいこう」

こうして「流山セントラルパーク駅」と「流山おおたかの森駅」が誕生した。

「ここが流山市のブランディング戦略の出発点だった」

井崎はのちにこう語っている。

髙島屋系列のデベロッパー、東神開発が開発する駅前ショッピングセンターの名前は「流山おおたかの森S・C」になり、2016年にオープンした運動公園の中の新市民総合体育館は流山市にみりん工場を持つキッコーマン（本社は野田市）がネーミングライツを取得して「キッコーマンアリーナ」と命名された。

マーケティング課

流山市には日本の自治体で唯一の「マーケティング課」がある。井崎の肝煎りで作られた「流山の可能性を引き出す街づくり」の実働部隊だ。

2003年5月に市長に就任した井崎はまず流山市をSWOT分析した。SWOT分析とは、マーケティングの一つで組織や個人を「強み（Strengths）、弱み（Weaknesses）、機会（Opportunities）、脅威（Threats）」の四つのカテゴリーで要因分析し経営資源を最適活用する手法である。

・流山の強みをどう活かすか？
・流山の弱みをどう克服するか？
・どのように機会を利用するか？
・どのように脅威を取り除くか？

こうやって問を立てれば、何をすべきかが見えてくる。流山の強みとは、例えば都心に比べて自然が豊かなこと。弱みとは、街としての知名度が低くブランド力がないこと。最大の機会はつくばエクスプレスが開通して都心との距離が縮まること。脅威は少子高齢化による財政危機と沿線都市との競合だ。

井崎はまず流山市の知名度を上げようと考えた。

そのために必要なのがマーケティングだ。準備段階として２００３年にマーケティング室を立ち上げた。

はじめ、市役所の職員たちは「マーケティング」という言葉に猛反発した。

「行政がこんなことをしてよいのか」

「何ということを自治体が始めるんだ」

古手の職員はこう言って憤った。稟議が2ヶ月間も止まっていたこともあった。

「こんなものやらせてたまるか」というわけだ。「マーケティング＝金儲け」というのが当時の職員たちの一般的な理解であり、ほとんどの職員が「自分たちは市民のために働く公僕であり、金儲けなどとんでもない」と誤解していた。もちろんマーケティングをしっかりやると利益が出たりもするのだが、マーケティングの本来の狙いは顧客サービスである。経営学の泰斗、ピーター・ドラッカーはこう言っている。

〝実のところ、販売とマーケティングは逆である。同じ意味でないことはもちろん、補い合う部分さえない。もちろん何らかの販売は必要である。だが、マーケティングの理想は、販売を不要にすることである。マーケティングが目指すものは、顧客を理解し、製品とサービスを顧客に合わせ、おのずから売れるようにすることである。〟

これは企業活動を念頭に置いた言葉だが、「顧客」を「市民」と読み替えれば、マーケティングとは「市民を理解し、行政サービスを市民に合わせ、自ずから利用されるようにすること」となる。市民を理解し、押し付けなくても利用される行政サービスを提供している自治体には顧客＝市民が集まる。

マーケティング課を立ち上げる準備の段階で、職員が用意したマーケティング課の所掌事務は、「企業誘致」になっていた。旧態依然の考えから抜け出せない職員たちの意識を変えるため、井崎自身が講師となり「マーケティングとは何か」を理解するための勉強会を半年間続けた。

２００４年に発足したマーケティング課の課長は民間から公募した。井崎は採用にあたり「打たれ強いこと」を最大の条件にした。市役所内の反発のすさまじさが想像できたからである。

初代マーケティング課長に就任したのは埼玉県坂戸市在住で、外資系企業の社長経験もある51歳の男性。任期は2年、最長5年とした。民間人を職員として期間採用するのは千葉県でも初の試みだった。

井崎は初代マーケティング課長にこう言った。

「何があっても打ち勝つつもりでやってほしい」

マーケティングの基本は誰に何を訴えるかである。「公平」を前提にする自治体運営ではこれがなかなか難しい。「誰に」とターゲットを絞った段階で、それ以外の人々が対象から外れるからだ。

財源が無制限にあるのなら「市民の皆様」がターゲットでも良いだろう。だが財源には限りがあり、皆様のために広く薄く使ったのでは結局、何もしていないのと同じことになってしまう。井崎は言う。

「マーケティングがないと、起きた問題に対処するだけになります。陥没してから道路を直す。これは『対策』。設計強度や交通量といったデータをもとに陥没を予測して事前に整備する。これが『政策』だと考えます」

道路の陥没という同じ事象でも、対策より政策の方が社会的損失が少なく、かかるコストも安くなる。データを駆使して5年後、10年後を予測し、問題が顕在化する前に先手先手で政策を打っていく。それを具体化するのがマーケティング課であり、その司令塔になるのが自治体経営のトップである市長なのだ。

ターゲットはDEWKS

では、「緑が多い。住宅にゆとりがある。都心まで最短20分」という流山市の良さを誰にアピールするのか。井崎はいわゆるＤＥＷＫＳ（共働きの子育て世帯）をメインターゲットに定めた。バブル期に消費財を手がける企業の多くは可処分所得の多いＤＩＮＫＳ（共働きで子供なし）をターゲットにした。しかし少子高齢化時代に5年後、10年後の街づくりを考えた時、街を活性化させてくれるのはＤＥＷＫＳだろう。井崎はそう考えた。

実際に流山市を変えるには、こうした井崎のアイデアを行政に落とし込まなくてはならない。実務に長けた相棒が必要だった。6月定例市議会で市保健福祉部次長兼障害者支援課長の石原重雄を助役（現副市長）に充てることを提案した。当時の市役所には部長職が16人、次長職が21人おり、52歳の石原は1年ほど前に次長になったばかり。36人抜きの大抜擢である。

前例を踏襲すれば古参の部長職から選ぶべきだったが、市長に就任してすぐ始めたマーケティングの勉強会で幹部たちの反応を見ていた井崎は、あえて最若手の石原を選んだ。

多くの幹部はこれまでの経験から物事を判断し、それを実施することがいかに難しいかを延々と述べる「評論家」だった。だが石原は前例のない井崎の提案を「現実の役所の仕事として、どうやったら実現できるか」という方向で、実現に向けて行動してくれた。

新聞は地方版で「若手を抜擢」と書いたが、民間の世界、海外を知る井崎にとっては49歳の自分も52歳の石原も「若手」ではない。市役所で約30年の実務経験を持つ石原は地方行政の仕組みに通じた頼もしい相棒だ。

井崎は思いついたアイデアはまず石原にぶつけて反応を見る。石原は行政の仕組みや法律の解釈の枠の中で、どうやったらそれが実現するかを考える。石原は企画力や想像力に富む役人で、時には井崎が「そうきたか！」と驚くような解決策を見つけ出してきた。大抜擢から19年間、石原は市政のキーマンとして今も井崎を支え続けている。

グリーンチェーン認定制度

井崎と石原のコンビは、井崎の選挙公約である「1円まで活かす市政」「行政は市民へのサービス業」「流山の可能性を引き出す街づくり」を次々に市政に落とし込んでいった。

２００６年には「グリーンチェーン認定制度」を導入した。
２０１０年には最小区画住宅敷地面積を１２０平米から１３５平米に拡大した。庭のない「ペンシルハウス」をなくし、各戸に植栽をしてもらうためだ。その後、「京都並に厳しい」と言われる屋外広告物条例も制定した。

実際に流山の街を歩いてみると、この条例が効いていることを実感できる。マンションも戸建ても植栽が多く、コンクリートばかりの「新興住宅街」とは一味違うのだ。認定の条件として「最低10年間は木を枯らさない」ようメンテナンスすることも求めている。

植えた木が枯れる心配はなさそうだ。広い庭のある戸建てに住む人々の多くはガーデニングを楽しんでおり、様々な木々や花々が道ゆく人の目を楽しませる。つくばエクスプレスが開通した２００５年、井崎の呼びかけで「ながれやまガーデニングクラブ〝花（か）恋人（れんと）〟」が発足。このクラブが主体となってその年の秋に第1回のオープンガーデンが開かれた。

以降、毎年5月にオープンガーデンが開かれ、旅行会社のツアーも出るなどガーデニングの名所になりつつある。この数年はコロナ禍で開催が見送られているが、リモートワークで在宅時間が増えたお父さんが庭木の剪定に駆り出され、庭はしっかり美しさを保っている。

自治体がマーケティングに励むことについて、井崎はこう語る。

「アメリカに12年間住み、都市計画コンサルティング会社で全米の都市を回りましたが、人口数10万人以上の都市では、自治体マーケティングが一般的で、それぞれがPR組織を持っていました。しかし日本に戻るとマーケティングの組織を持つ自治体は皆無。PRも、観光か企業誘致に限られていました。自治体がPR活動をしないことを、むしろ奇異に感じました」

「伝えたいのは、まさにこれだ」

マーケティングのターゲットはDEWKSに決まった。次は流山の魅力をそのDEWKSにどう伝えるかだ。市はある広告代理店と契約し、流山にDEWKSを呼び込むためのPR活動を依頼した。しかし広告代理店が持ってきたキャッチコピーは箸にも棒にもかからない代物だった。

「我々が何をしたいか、全くわかっていないのではないか」と井崎に指摘され、困ったコピーライターは、師と仰ぐ著名なコピーライターのところへ相談に行った。

この大物コピーライターが書いたのが、

「母になるなら、流山市。」「父になるなら、流山市。」

「私が伝えたいのは、まさにこれだ」

井崎は震えた。

結局、同じ予算で最高の人にコピーを書いてもらえた。

この大物の名前は岡部正泰。日本のコピーライターの草分けだ。

「疲れている人は、いい人だ。」（武田薬品工業「アリナミンA」）

「故郷が2つになることが、結婚だったんだね。」（JR東日本）

「お母さんを育てるのは、赤ちゃんです。」（講談社）

岡部のコピーは鋭く時代を切り取りつつ、どこか温かみがある。「母になるなら、流山市。」「父になるなら、流山市。」をきっかけに岡部は自分のインターネット・サイトに「趣味・流山」と書くほどの流山ファンになり、のちに市内を走る小型バス「ぐりーんバス」のデザインも無償で引き受けた。TX沿線スタイルマガジン「ここにこ」の編集も手がけている。

のちに流山市は、「母になるなら、流山市。」「父になるなら、流山市。」のキャッチコピーを使ったポスターを首都圏の地下鉄の駅などに貼り、転入促進のプロモーションを展開した。流山に転入した子育て世代の約5割がこのコピーを知っていたという。

やがて、このコピーに共鳴した人々が流山に集まってくる。そして今度は彼女ら彼らが流山市を変える原動力になっていく。

第5章 「千葉のニコタマ」はこうして出来上がった

スタバより「角上魚類」

２０２２年6月30日、つくばエクスプレス流山おおたかの森駅の駅前に、また一つ新たな商業施設がオープンした。

「流山おおたかの森Ｓ・Ｃ　ＡＮＮＥＸ２」

その日は開店前からＡＮＮＥＸ２の入り口に客が並び始め、その列はつくばエクスプレスの高架下まで数百メートルに及んだ。流山おおたかの森Ｓ・Ｃの駐車場にも長い行列ができた。

最大のお目当ては「角上生鮮市場」だ。

新潟県長岡市寺泊とさいたま市岩槻区に本社を置く角上魚類は、江戸時代から続く越後の網元。関越自動車道の開通をきっかけに、寺泊の漁港で仕入れた魚を首都圏で直接販売するビジネスを始めた。もともと魚が新鮮なことに加え、注文した客の目の前で魚を捌く「身卸し」などエンタテインメント性の高いサービスが受け、現在は埼玉、千葉、東京を中心に22店舗を展開。「日本一の魚屋」を目指す同社の売上高はすでに400億円に達している。

角上魚類が流山に進出したのは2002年。当時、新聞記者だった筆者がロンドン駐在を終えて流山に戻った年だ。最初は流鉄流山駅に近い流山街道沿い（流山市の旧市街）に店を構えていた。

「あら大西さん知らないの。あそこのお魚、美味しいわよ」

ご近所に勧められた妻に連れられて初めて角上魚類に行った時の感動は今も忘れない。目移りするほどの魚の種類。それを目の前で捌くスタッフの威勢の良さ。

「やっぱり日本はいいなあ」としみじみ思った次第である。

4年のロンドン暮らしで新鮮な魚に飢えていた我が家は、たちまち角上魚類の虜になり、やがて「手巻きするなら角上魚類」が合言葉になったが、唯一、閉口したのが週末の「角上渋滞」だ。駐車場から車が溢れ出し、流山街道に行列ができるのだ。

その角上魚類が流山おおたかの森に引っ越してくるという。我が家を含め新市街の住民は両手をあげて歓迎した。魚好きの家庭にとって「近所に角上がある」は、「スタバがある」より重要だ。

進むハイソ化

流山おおたかの森駅周辺のお買い物環境は今まさに劇的に進化中だ。

「ＡＮＮＥＸ２」は地上４階建てで、１階の角上生鮮市場の中に、肉の専門店「あまいけ」、野菜の専門店の「アール元気」がある。２階と３階は「ニトリ」。２フロアにまたがる巨大な売り場なので大方の家具や日用品は揃っている。４階は１００均の「セリア」と衣料品リサイクルの「東京古着」。元オリンピック選手が教えてくれる子供向けの体操教室やダンス教室はオープンと同時に申し込みが殺到した。屋上はフットサル場だ。

「ＡＮＮＥＸ２」があるのだから「ＡＮＮＥＸ１」がある。でＡＮＮＥＸとは「別館」の意味だから「本館」もある。この他に「ＦＬＡＰＳ（フラップス）」という別棟もある。

整理するとつくばエクスプレスの開通から2年後の２００７年に「流山おおたかの森

S・C（本館）」がオープンし、14年にANNEX、21年にFLAPS、22年にANNEX2という順番で開業している。

2007年に本館がオープンした時、筆者はまだサラリーマン記者で毎日、都内に通勤していたので、本館が出来上がっていく様を逐一、見ていた。

「こんな田舎に、こんなでかい施設を作って大丈夫か？」

それが最初の感想だった。

もともとこの辺りで大型のショッピングセンターといえば、野田市のジャスコ（現在はイオン）しかなかった。しかし2000年を過ぎた頃から国道16号線沿いに続々と新しいショッピングセンターが誕生し、新しいショッピングセンターができると、週末にその周りで渋滞が起き、古いショッピングセンターが廃れる、という焼畑農業のような状態が続いていた。

そこに敷地面積約4万平方メートル、延べ床面積約10万平方メートルの新施設。流山おおたかの森駅の駅前も、まだ何棟かマンションが立った程度で、ほとんどが空き地か森だ。ここに人が集まってくるイメージが湧かなかった。

だが建物ができ始めると「おや？」と思った。広場に向かって大きく張り出したモダンな透明の天井が作られ、壁に描かれた出店店舗のロゴは白で統一されていた。「とにかく目立とう」とガチャガチャした感じの今までのショッピングセンターと比べて、なんとなく品がいいのだ。店舗の周りに大きな欅の木が植っているのもいい。

だが実際にオープンすると期待は再び不安に変わる。

駅から見える一等地にはイタリアの高級ファッションブランド「ARMANI EXCHANGE（アルマーニ エクスチェンジ）」と、この頃、流行り始めていたスペインのファストファッション（最先端のファッションを手頃な値段で買える店）「ZARA（ザラ）」。1階にある食料品売り場は「FOODMAISON（フードメゾン）」と名付けられ、入り口には黒とピンクに彩られたフランスの高級食料品店「FAUCHON（フォション）」。

「いやいや流山でFAUCHONは無理でしょ。おばちゃんたちは読めないもん」

おおたかの森S・Cに集まったハイソな店舗は、明らかに流山に似つかわしくなかった。オープン当初、唯一しっくりきていたのが「食品館イトーヨーカドー」。フォションが入る「フードメゾン」は敷居が高過ぎ、物珍しさで覗いた人も結局、ヨーカドーに流れてしまう。10周年を迎える頃には「ZARA」がインテリアの「unico（ウニコ)」、「ARMANI EXCHANGE」は「スターバックスコーヒー」に代わった。
だが、流山おおたかの森駅周辺の開発が進むにつれて、ショッピングセンターの客層が変わってきた。「流山おおたかの森」という街の付加価値が高まったことで比較的、所得の高い層が集まってきたのだ。

この数年はフードメゾンの売上高が右肩上がり。ついにヨーカドーと肩を並べようとしている。そしてFAUCHONはオープンから15年が経過した今も元気に営業している。「デパ地下の味」を楽しめるフードメゾンは、流山おおたかの森S・Cの魅力の一つになっている。ハイソ化が進む流山おおたかの森は、いつしか「千葉のニコタマ」と呼ばれるようになった。

「ニコタマ」とは世田谷区の二子玉川。高級住宅街と大型商業施設を併せ持つ東急田園都市線二子玉川駅周辺のハイソなエリアだ。

「〇〇銀座みたいで、なんだか気恥ずかしい」

「千葉のニコタマ」というフレーズは、地元の人間である筆者にとってなかなかしっくり来なかった。だが本物の「ニコタマ」を訪ねて駅の西口あたりを歩いてみると、なるほど「流山おおたかの森S・C」とどこか雰囲気が似ている。

「なんだろうこのデジャビュ感は」

大型ショッピングセンターの草分け、東神開発

謎は簡単に解けた。

ニコタマの中核をなす「玉川髙島屋S・C」と流山の新しい顔になった「流山おおたかの森S・C」。二つの商業施設を開発した会社が同じだったのだ。薔薇の模様の包み紙でお馴染みの老舗百貨店、髙島屋。その子会社の東神開発である。

「玉川髙島屋S・C」は日本の大型ショッピングセンター（SC）の草分けだ。1962年、欧米に100日間の視察に出かけた後の東神開発専務、倉橋良雄は「日本にもモータリゼーションの波が押し寄せ、巨大な駐車場を持つ郊外型のショッピングセンターが必要になる」と予見した。

しかし玉川髙島屋S・Cがオープンした1969年、駅の周りはまだ田んぼに囲まれていた。

「そんなところに店を出せと言われてもねえ」

百貨店で付き合いのあった一流どころのブランドは全く相手にしてくれず、頼みに頼んでようやく出店を決めてくれたのが婦人靴の「アカクラ」(2015年に民事再生法の適用を申請し現在は「アドバンス」)だった。舶来の食品や洋酒を扱う明治屋、和菓子の老舗、榮太樓總本鋪などがこれに続き、なんとかショッピングセンターとしての体裁を整えた。

倉橋は日本に新しい消費文化を持ち込んだ。欧米で生まれた「ショーウインドウ」をいち早く導入し、街路をそぞろ歩きしながらウインドウ・ショッピングができる環境を整えた。100台を超える大型駐車場を完備し、百貨店が18時に閉店していた時代に21時まで店を開けた。

「会社から帰ってからマイカーで買い物に出かける」という当時としては斬新なライフスタイルを提案した。街路樹の整備など景観作りにも気を配り、地元自治体、地元の住民と話し合いを続けながら「ニコタマ」のブランドを築いてきた。それはまさに一つの街を作る仕事だった。

倉橋の予想通り、その後、日本は百貨店、スーパーの時代からショッピングセンターの時代へ移っていく。スーパーから進化した「イオンモール」や大資本の三井不動産をバックにした「ららぽーと」の方が数は多いが、玉川髙島屋S・Cは開業から半世紀を経た今も独特の存在感を放っている。現在、同S・Cには340店のテナントがあるが、開業時から続いている店が50店あり「親子3代のお客様に支えられている」という。そこには、流行り廃りや安さだけでなく、店と顧客が長い信頼関係を築く「百貨店文化」が息づいている。

「次のニコタマ」を探して

その後、東神開発は日本橋や立川にもショッピングセンターを作る。UR都市機構（当時は都市基盤整備公団）による流山おおたかの森駅周辺の区画整理事業を請け負った2004年、1人の男が流山おおたかの森駅の建設予定地を訪れた。のちに東神開発営業本部の千葉事業部長になる小池貴だ。雑木林と田んぼが広がる風景を見て、当時広報担当だった小池は思った。

「うーん。本当にここでショッピングセンターが成り立つのかな」

そもそも東京都世田谷区にあって渋谷まで電車（快速）で11分の二子玉川と、秋葉原まで25分の流山おおたかの森では全く条件が違う。1831年に京都で古着・木綿商として産声をあげ、大阪の御堂筋、東京の日本橋など一等地で商売をしてきた髙島屋グループ170年の歴史において、最も「田舎」での出店になるのは間違いない。

だが東神開発の調査の結果、流山おおたかの森駅の半径5km圏内に住む人々の所得水準は、二子玉川のある世田谷区には及ばないものの、それなりに高いことが分かった。

背景にはおそらく、2章で触れた「往きは遅いが帰りは早い」という流山市の特殊な交通事情がある。新聞記者時代、霞ヶ関の官僚を取材する経済部や、警視庁の幹部を取材する社会部の同僚と話すと、夜討ち朝駆け（深夜・早朝に取材対象の自宅に押しかける取材方法）の目的地は「流山、柏、取手」が意外に多かった。

深夜の霞ヶ関。窓に煌々と灯が灯る官庁街の道路脇には無数の個人タクシーが客待ちをしている。特定のタクシー会社を偏って使えない霞ヶ関の官僚や警視庁の刑事は、チケットで個人タクシーを使う。終電がなくなった夜中の12時を過ぎたら、首都高の霞が関ランプから常磐道流山インターまでは30分もかからない。朝も千代田線直通の常磐線なら乗り換えなしで霞ヶ関まで行ける（流山の場合、東武線で柏に出る必要がある）。「深夜帰宅族」にとって、流山は穴場なのだ。

官僚、刑事、新聞記者の給料はそれほど高くないが、残業代はそこそこもらっており、使う時間がないので週末の外食や買い物でストレスを発散する人が少なくない。「所得水準がそれなりに高い」のは、そんな人々が集積しているからだろう。

シネコン設置など10項目のお願い

駅前の区画整理が終わり、デベロッパーの入札があったのは2003年。市長になったばかりの井崎義治は、市長室でそわそわしながら落札の結果を待っていた。札を入れたのは東神開発、イオン、ユニーの3社。UR都市機構に再開発を委託している流山市はデベロッパーの選定には口を出せない。井崎は入札した3社に「10項目のお願い」を伝えていた。主な「お願い」は、

・大型シネコン（複数スクリーンを持つ映画館）の設置
・大型書店の設置
・日本初または千葉県初の店舗の設置
・デパ地下（デパートの地下1階にある食品売り場）の設置
・敷地内の大規模な緑化

デベロッパーが最も渋ったのがシネコンだ。「ららぽーと柏の葉」もまた中核にシネコンを据えようとしていた。

「スクリーンの数は柏の葉プラス1でお願いしたい」

井崎は内々でそう伝えた。

ららぽーとが8スクリーンならこちらは9スクリーン。10スクリーンなら11を作れというのだ。

「そんなに作ったら共倒れになります」

尻込みするデベロッパーに井崎はハッパをかけた。

「向こうからお客を奪えばいいんですよ」

つくばエクスプレス沿線でほぼ同時に開業した柏の葉キャンパス駅の「三井ショッピングパーク　ららぽーと柏の葉」は、「流山おおたかの森S・C」にとって最大のライバルだ。

柏の葉キャンパス駅は「キャンパス」を名乗る通り、東京大学柏キャンパスと千葉大学柏の葉キャンパスがある。少し歩けば千葉県屈指の広さを持つ柏の葉公園があり、駅前には三井ガーデンホテルがあり、国立がんセンター東病院も近い。

三井不動産が所有していたゴルフ場「柏ゴルフ倶楽部」の広大な土地を再開発した柏の葉キャンパスは計算し尽くされた街である。地権者は三井不動産のみなので、思い通りの区画整理ができ、街全体に整然と街路樹が植えられている。

一方の流山おおたかの森は、雑然とした森と農地だった。乱開発すれば緑は失われ、どこにでもある「駅前」になってしまうだろう。それでは街の価値は上がらない。

井崎は人口増を当て込んで進出してくる企業に、まず敷地内の緑化を求めさらに「10年以上、緑を枯らさないで欲しい」と条件をつけた。「きちんと植栽の手入れをしろ」というわけだが、こちらの方が植えるよりよほどお金がかかる。

「緑化は街の価値を上げる。街の価値が上がればあなたたちデベロッパーの利益にもなる」

井崎の考え方に近かったのが東神開発だ。商業施設を建てるだけでなく街路を含めた街全体のクオリティを上げることが、賑わいのある街づくりにつながる。東神開発は玉川髙島屋Ｓ・Ｃの経験でそれを知っていた。

「落札したのは東神開発」

一報を聞いた井崎は飛び上がって喜んだ。

「流山おおたかの森Ｓ・Ｃ」の建設が始まると井崎は東神開発にもう一つ、注文をつけた。

「流山おおたかの森駅は高架だから、改札とショッピングセンターを結ぶ空中通路を作って欲しい」

建設費は全額東神開発の負担だという。駅からS・Cまでは数百メートル。雨の日も濡れない屋根付きの空中通路を作れば、億円単位の負担になるので、当然、東神はいい顔をしない。井崎は言った。

「空中通路で駅と直結すれば2階もグランドフロアになる」

グランドフロアとは通常、地上1階を意味する。通行人が入りやすく物が売れるので賃料は2階や地下の2倍が相場だ。グランドフロアの面積が2倍になるのだから、施設運営者の儲けは増える。駅前広場を横切ってくる客と空中通路を渡ってくる客。人の流れが二つになれば賑わいも増す。

後に東神開発の担当者が井崎に言った。

「あのブリッジは本当に作って良かったです。あれのおかげで集客力が随分上がりました」

シネコンはTOHOシネマズの招致に成功した。柏の葉キャンパスは松竹系のMOVIXを入れた。井崎の要望通りスクリーン数は流山おおたかの森が一つ多い。

ＴＯＨＯシネマズは２０２０年、ここに４Ｋレーザー投影システムの「ＩＭＡＸレーザー」を導入した。関東のＴＯＨＯシネマズでＩＭＡＸレーザーを備えているのは新宿と流山おおたかの森の２ヶ所である（22年8月時点）。流山のシネコンが大成功している証と言える。

建物の周りを植栽で覆い、敷地面積の30％以上を緑化した「流山おおたかの森Ｓ・Ｃ」は流山市が提唱した「グリーンチェーン（レベル２）」の認定第一号になった。

大衆路線のＳＣも

角上生鮮市場が入る「流山おおたかの森Ｓ・Ｃ　ＡＮＮＥＸ２」が開業する２ヶ月前の２０２２年4月27日、もう一つの大型複合商業施設「ＣＯＴＯＥ（コトエ）流山おおたかの森」がオープンした。大和ハウス工業が開発したＮＳＣ（近隣商圏型ショッピングセンター）だ。

大和ハウス工業は流山に大投資をしている。10章で詳述するが江戸川の河川敷にはネットショッピングの巨人、アマゾン・ドットコムも利用する総延床面積約70万㎡の巨大物流施設「ＤＰＬ流山プロジェクト」を展開し、約１３００戸の戸建住宅と約４８００

戸の賃貸住宅を供給している。そこにショッピングセンターが加わった。

ショッピングセンターの建設が決まったのは2018年。つくばエクスプレスの開通から13年が経ってUR（都市再生機構）が最後のまとまった土地の公募をかけた時、入札した大和ハウス工業はこう考えた。

「飽和状態の街にこれ以上、マンションを建てるより、すでに住んでいる人たちに使ってもらう商業施設を建てる方が理にかなっている」

SC（ショッピングセンター）事業部MD企画室長の大野拓也は、一足早くこの地に進出した東神開発の「流山おおたかの森S・C」をリスペクトしていた。

「駅前の中核施設として、この街の発展を引っ張ってきたのは流山おおたかの森S・Cさん。後発の我々が彼らと同じことをやっても仕方がない」

そこから生まれたのが「我が家のビッグ・パントリー（食品庫）」という発想だ。子育てファミリー層向けに日常生活の必需品が揃うNSC。意識したのは「誰もが名前を知っていて、入る前に値段が分かる安心な店」を集めることだ。

物販では家電量販の「コジマ×ビックカメラ」、赤ちゃん用品の「西松屋」、ドラッグストアの「マツモトキヨシ」、100円ショップの「キャンドゥ」。飲食店は回転寿司の

「銚子丸」、中華の「餃子の王将」、焼肉の「牛角食べ放題専門店」と、ファミリー層に馴染みの店が集まった。

「すべてのお店に外から出入りできる設計にして、営業時間もお店の自由。平面駐車場を増やして使い勝手をよくしました」（大野）

高級志向の流山おおたかの森Ｓ・Ｃと、大衆路線のコトエ。二つの大型商業施設はターゲットごとにうまく棲み分けられている。

思い思いのアイデア

それにしても一つの駅前に同時に複数資本の商業施設がオープンするというのは、バブル崩壊後の日本では久しく見ない光景だ。流通資本が激しい出店競争を繰り広げたのは大昔の話である。

古くは「池袋デパート戦争」。１９４９年に東口に西武百貨店が生まれ、１９６２年西口に東武百貨店池袋本店ができ、「東の西武、西の東武」と騒がれた。高度経済成長期の話である。

「銀座デパート戦争」はバブル経済真っ只中の１９８０年代。銀座に三越、松屋、メルサなど国内有数の百貨店が集積していたが、そこに有楽町西武と有楽町阪急からなる複合商業施設・有楽町マリオン（東京都千代田区）が殴り込みをかけた。

いずれも人口増と経済成長で消費が伸びていた時代の話である。新しいショッピングセンターができるくらいのことはあっても、人口が減少に転じ経済成長が止まった日本では「あんな流通戦争は二度と起きないだろう」と言われていた。それが流山では起きている。

ショッピングセンターだけではない。コトエがオープンした2022年4月、その隣には「竜泉寺の湯　スパメッツァおおたか」が営業を開始した。天然温泉、サウナ通なら見逃せないロウリュ（熱風を吹き付けるサウナ）を備えた三つのサウナに岩盤浴を加えた一大リラクゼーション施設で、そんじょそこらのスーパー銭湯とは訳が違う。

施設名称の「スパメッツァおおたか」やロゴ、休憩スペースのインテリアや館内着を総合プロデュースしたのは、プロゴルファーの渋野日向子のウエアでも有名なファッション・ブランドのビームス（BEAMS）。同社のエグゼクティブディレクター、南馬越一義が監修したオリジナルグッズも売っている。

サウナをプロデュースしたのは「サウナブーム」の仕掛け人で、サウナや専門ブランドなどのプロデュースを手がけるＴＴＮＥ（代表：松尾大）である。

流山おおたかの森が面白いのは、市長の井崎義治が描いた「都心から一番近い森の街」というグランドデザインの上で、東神開発から、大和ハウス工業、ビームスまで、さまざまな企業が思い思いのアイデアを競っているところにある。

統一感、未来感という意味では、２０１５年にノーベル物理学賞を受賞した梶田隆章が所長だった宇宙線研究所がある「柏の葉キャンパス」に軍配が上がるかもしれない。こちらは三井不動産が一手に開発した。二つの街をじっくり見た上で「流山おおたかの森」を選んだ主婦はこう言った。

「柏の葉キャンパスは最初から全てが整いすぎていて、住まわせてもらう感じがしました。空き地だらけだった流山おおたかの森は『私達が街を作っていくんだ』という雰囲気があった。それが流山おおたかの森を選んだ理由です」

第6章　起業するなら流山　和菓子店の女主人は31歳

本当の美味しさを

２０２２年8月末の夕方、筆者は流山市の旧市街、通称「流山本町」にオープンしたての「葉茶屋 寺田園」である人物と待ち合わせをしていた。

「はじめまして」

隣の松戸市から原付バイクを飛ばしてやってきたのは稲葉なつき。細身の体とはアンバランスな低めの声が意志の強さを窺わせる。彼女はこの秋、31歳の若さで流山本町の古民家を改装した和菓子店のオーナー店長になる。期待の新星だ。

「本当にここでお店が開けるのかな」

流山市の観光地域づくり法人「流山ツーリズムデザイン」に紹介された物件は、旧流山街道沿いの古い酒屋の倉庫だった。母家から引いた電線でなんとか電気はつくが、倉庫なので水道もガスもない。

だが、年に似合わず、ちょっと古風な考え方をする稲葉にとってはうってつけの物件でもあった。

「世の中がなんでも便利になっていく中、できないことの良さを知ってもらえるお店にしたい」

例えば和菓子に欠かせない「こし餡」。街の小さな和菓子店は、茹でた小豆の皮を取り除いて中身をすりつぶした「呉」と呼ばれる原料を製餡所から取り寄せ、これに砂糖を混ぜて練り上げ「自家製の餡」と称して使っている。しかし東京・赤坂の老舗和菓子店で10年半修行した稲葉は言う。

「呉から自分で作った餡はやっぱり口当たりが違います。食べ比べたら分かると思います」

製餡所の呉を使うのは、下拵えに手間がかかるからだ。小豆を煮るところから始めて呉になるまで4時間はゆうにかかる。餡を使った生和菓子が1日にせいぜい数十個しか売れない街の和菓子店で小豆を茹でるところから始めていては「割りに合わない」のだ。

客の少ない和菓子店は、その日のうちに食べないと傷んでしまう生菓子はできるだけ少なくし、日持ちのする焼き菓子を増やす傾向もある。だが日持ちしないからこそ味わえる生菓子の良さもある。

「特別な商品を並べるつもりはないんです。ワンオペですから、作れる品種にも限りがあります。どら焼き、大福、流山名産の味醂を使った酒饅頭、季節限定の生菓子を2種類くらい、上生菓子を4種類」

「あとはゆべしですね。ゆべしはちょっとこだわりがあるんです。観光地でお土産に売っているゆべしは日持ちさせるために余分なものが入っているし、ものすごく甘くしてあります。ずっと、こんなに甘くなくていいのに、と思っていて。色々試してみて、日持ちはしないけど、本来の美味しさを持つ、これだ、というゆべしができました」

専門学校から老舗の和菓子店へ

31歳の稲葉がオーナー店主になるまでには、厳しい道のりがあった。

松戸市で生まれた稲葉は今も実家で暮らしている。父親は公務員。母親はピアノの先生をしている。夜間の音楽学校に通って講師になった努力の人だ。両親とも真面目で、躾は厳しい。稲葉は小さい時から図工が大好きで、「物を作る人になりたい」と考えていた。

稲葉は高校の時、吹奏楽部に入部した。部活三昧の日々で、将来、何になるかは深く考えていなかった。そんな稲葉の将来を決めたのは、ある日、部活の差し入れで食べた和菓子だった。船橋の有名店の「白牛酪餅（はくぎゅうらくもち）」は求肥とミルクを使った和洋折衷のお菓子で、ひとつ食べると口の中でとろりと溶けた。

「なんて美味しいんだろう」

感動した稲葉は専門学校の情報誌を買い、菓子の専門学校を探した。数ある専門学校の中から稲葉が選んだのは東京・新宿にある東京製菓学校。他の製菓学校は1年目で菓子作りの基礎を学び、2年目から和菓子、洋菓子、製パンの専門コースに分かれる。東京製菓学校は1年目から和・洋・パンに分かれ、2年かけてみっちり技能を学べる。和菓子一筋で洋菓子やパンに興味がない稲葉は、迷わずこの学校を選んだ。

入学すると「パティシエ」人気で洋菓子コースに生徒が集まり4クラス、和菓子とパンはそれぞれ1クラスしかなかった。和菓子コースは6：4で男子が若干多く、その半分くらいは実家が和菓子店を営んでいた。

1年目はひたすら餡作りと、生地で餡を包む「包餡」をやらされ、2年目でどら焼き、練り切り、干菓子などの作り方を習った。

卒業が近づくと就職課に張り出された求人票を見て、興味のある店を紹介してもらう。稲葉は求人票の中にピンとくる店がなかったので、専門誌を見て、自分が好きな上生菓子を売り物にしている赤坂の「塩野」を紹介してもらった。

「塩野」は東京・溜池の老舗「塩瀬」で修業した初代の高橋十一が戦後間もない1947年に創業した。黒塀の料亭がひしめき、夜になれば政府要人の黒塗りの車がずらりと並んだ赤坂で、料亭に出す高級和菓子を手がけてきた。今の赤坂は料亭がほとんど消えてしまったが、「塩野」の味を求めて通う常連は多い。

街の小さな和菓子店は夫婦で切り盛りしているところも多いが、塩野は店頭に立つ売り子が7、8人、裏の工場(こうば)で働く職人が9、10人の大店だ。稲葉が入社したのは2011年3月末。東日本大震災の2週間後で、流石に客はいなかった。

店のしきたりで最初の1年は職人も店頭に立つ。同期で入ったのは女子ばかり3人だったが、稲葉以外の2人はあっという間に辞めていった。

稲葉は2年目から「餡場」に入る。塩野は小豆だけでなく、いんげん、大納言小豆など5種類の豆を使っていくつもの餡を作る。作る量が多い日には、20キロ、30キロの豆袋を運ばなければならない。餡場の仕事はこんな具合だ。

朝５時40分：工場に入り、道具を揃えたり掃除をしたりの下準備をする。

６時：豆を煮始める。つぶ餡、こし餡、皮むき餡など種類によって鍋が違う。表面の皮をピンと張らせるため差し水し、煮汁を切る（捨てる）。この作業を何度も繰り返す。煮ている間に誰かに鍋の番をしてもらい、ささっと朝食をとる。

８時30分：こし餡用の豆は機械にかけ皮を飛ばして「呉」だけにする。「呉」を水に晒し、沈殿させてうわ水を捨てる。この作業を何回か繰り返した後、「呉」を袋に入れて脱水する。

11時：鍋に水と砂糖を入れ、「呉」を加えて練る。暑さ寒さ湿度によって練る温度や時間は微妙に変える。こうして午後５時まで、延々、小豆と向き合う時間が続く。

稲葉が練った餡は先輩職人の手で様々な和菓子に形を変える。

「お、今日の餡は美味しくできたね」

たまに褒められると嬉しかった。

商工会議所の創業塾

現場2年目は若手チームで焼き菓子を任された。3年目は大福の餅作り。石臼を木製の杵でつく旧式の機械を相手に、手で餅を返すタイミングを覚えた。その頃から、ローテーションで週に1日ほど工場長のサポートにつく仕事が入った。工場長が担当していた干菓子の作りも手伝った。

稲葉は口うるさいタイプの工場長とよく衝突し、サポートにつきながら全く口をきかない日もあった。しかし「見どころがある」と思われたのか、工場の若手で一番多くローテーションが回ってくるのは稲葉だった。

7年目、その工場長が創業家とぶつかって突然、辞めることになった。

「あなたが一番、そばにいたのだから、彼に教わってあなたが代わりをやってくれないか」

社長にはそう言われたが、引き継ぎを頼むと工場長は「俺は何も答えたくない」と教えてくれない。結局、彼はそのまま工場を去ってしまい、教わっていない仕事は稲葉が記憶を頼りに何とか再現した。稲葉は27歳にして若手のリーダーになった。

とはいえ、雇われの職人なので、やりたいことが全部できるわけではない。塩野の伝統を守るのが基本である。「まだできないことがある」と考えたのでリーダー役を３年ほど続けたが、その間に独立への準備を始めた。

しかし「独立」と言っても自分は学校を出てから菓子作りしかやっていないので、どうすれば独立できるのか、見当もつかない。すると母親のピアノ教室に通っていた男の子のお母さんがアドバイスをくれた。

「流山商工会議所の創業塾がいいわよ」

その母親はそこで起業のイロハを学び、流鉄流山駅の駅前で焼菓子店を経営していた。創業塾は開業資金や運転資金の調達方法、日々の財務管理、公的補助の受け方など、起業に必要な諸々を教えてくれた。

流山商工会議所は流鉄流山駅に近い流山本町にある。江戸時代に水運の街として栄え、明治、大正の古民家が残る街並みが稲葉にはしっくりきた。

「伝統を大事にしながら、現代にアップデートする。私がやりたいことができる街かもしれない」

商工会議所の紹介で知り合ったのが流山市でＤＭＯ（デスティネーション・マネジメント・オーガニゼーション＝観光地域づくり法人）を運営していた門脇伊知郎だ。

切り絵行燈と利根運河

門脇伊知郎がその流山本町の再生に関わるようになったのは２０１２年頃のことだ。当時、門脇は旅行大手ＪＴＢの社員として観光地の再生や地域交流事業に携わっていた。地域総合整備財団（ふるさと財団）の地域再生マネジャーとして流山市に派遣された。門脇は市長の井崎が立ち上げたツーリズム推進班が主催する「流山本町活性化協議会」のアドバイザーにも就任した。

つくばエクスプレスの開通で賑う流山おおたかの森とは対照的に、かつて市の中心だった本町は緩やかな衰退が続いていた。その本町にどうやって賑わいを取り戻すか。

「コンビニや外食のチェーン店が少ない本町は夜が暗い。もっと明るくした方がいいのではないか」

そう話す地元の人たちに門脇は、観光のプロとして言った。

「首都圏で暗くて困っている地域はない。むしろ深夜のコンビニに若者がたむろして困っている。逆に暗さを利用したらどうですか」

協議会の働きかけで、市内在住の切り絵作家、飯田信義の手による店ごとに異なる切り絵をはめ込んだ行燈が約100基、本町の街の軒先に並んだ。

こうした活動の中心になったのが流山市の「流山本町・利根運河ツーリズム推進課」だ。市長の井崎は流山における観光振興の拠点をこの2ヶ所に絞り込んだ。

利根運河とは1890年（明治23年）、利根川と江戸川を結ぶために作られた日本初の西洋式運河のことだ。全長8・5キロメートルで野田市、流山市、柏市を流れている。水運が盛んだったこの時代、東北地方の太平洋岸から東京に向かう船は房総半島沿いをグルリと回っていたが、利根川と江戸川を運河で結べば、銚子港から利根川を遡行し江戸川を下って東京までショートカットできる。

開通翌年の1891年には37600隻がこの運河を通り、通航料を徴収する収入所が置かれた江戸川口の付近には、船頭や船客相手の料理屋、食料品店、雑貨屋、回船問屋などが立ち並んだ。

だが利根運河の繁栄はわずか数年で終わってしまう。1896年に日本鉄道土浦線（現常磐線）、1897年に総武鉄道（現総武本線）が開通すると、物流の主流は瞬く間に船から鉄道に移った。

物流という本来の役目を失った利根運河は今、桜の名所として流山市民に親しまれている。土手には黄色い菜の花が咲き誇り、桜の花との美しいコントラストを見せる。花見のついでにつくしや野蒜を取ることもできる。土手の上には明治時代に建てられた旅館や蔵が残っている。

井崎は江戸・明治時代の香りが残る流山本町と利根運河をツーリズムの拠点にしようと考えた。観光資源のある地域に的確にスポットを当てるこのやり方に、JTB出身の門脇は驚いた。

「二つの地域だけに絞り、市役所の課に地名までつけてしまったところがすごい。当然、その他の地域からは『なんでウチが入っていないんだ』と文句が出るわけです。だから普通の観光行政は『広く浅く』で効果が出せないのです」

門脇が地域再生の仕事で見てきた多くの地方都市で進んでいた「開発」は、イオンモールのような巨大商業施設を中核に、ロードサイドに大手外食チェーンや家電量販店やホームセンターが並ぶ。一方で古くからの商店街は廃れ、金太郎飴のように全国どこへ行っても同じ風景が広がっている。

しかし「開発」の波が及んでいない流山本町と利根運河には、江戸・明治期からの観光資源が残っていた。井崎という民間出身の市長がこれに目をつけ、民間企業ばりのマーケティングでツーリズムを振興しようとしている。

古民家リノベーション

本町の活性化で切り絵行燈の次に始めたのが「古民家リノベーション」だ。「築50年以上」という古民家の一般的な定義に当てはまる物件は流山本町だけで20軒以上あった。そのまま住んでいるところや、空き家で放置されているところもあったが、時が経てば相続のタイミングなどで不動産会社に売られ、ピカピカの新築になってしまう。

実際、2018年には利根運河沿いにある明治創業の割烹新川本館（元は旅館、現在はフレンチレストラン）が相続問題により売りに出された。文化財として調査していた市は景観を守るため、例外的措置として市の土地開発基金で購入した。

しかし、古民家が売りに出されるたびに市の予算で購入するのは現実的ではない。そこでリノベによる古民家保存の仕事はDMOの流山ツーリズムデザインに任された。

ツーリズム推進課は本町や利根運河の古民家を使って「カフェやレストランや雑貨屋

を開きたい」という事業主を探し、古民家の所有者と相談して家賃を決める。出店が決まれば市が補助金制度を使って改装費や家賃を補助する。この形で2022年までに7軒の古民家がリノベされた。

2022年8月27日にはこの章の冒頭に登場した古民家カフェ「葉茶屋 寺田園(HA-CHA-YA TERADAEN)」がリニューアル・オープンした。元々お茶屋さんだった築130年の登録有形文化財を改装し、渋谷のJINNAN HOUSEで日本茶カフェ「SAKUU 茶空」を運営する(有)キリンジがプロデュース、表参道の日本茶専門店「櫻井焙茶研究所」がメニュー監修をした。本格的な日本茶だけでなく「お茶のクリームソーダ」なども楽しめる日本茶カフェだ。流山名産のみりんを使ったお菓子もある。

ただ古民家の保全が遅きに失した感もある。リノベした古民家カフェやレストランは落ち着いた雰囲気を醸し出しているのだが、その隣がすでに売却されて新築の戸建てになっている。普通の住宅にポツリポツリと古民家が混っている街並みなのだ。京都の祇園や東京の神楽坂のように、街の景観をアピールするのは難しい。

門脇が目指すのは「日常と非日常の中間」だ。

「無理して遠くから観光客を呼ぶよりも、人口の多い近隣の柏市、松戸市や人口が爆発的に増えている流山おおたかの森に住む人たちが、ちょっと気分を変えたい時に訪れる場所にしたい。『今日はちょっと贅沢しようか』という時に車で数十分で行けるところにある小洒落たレストラン、というイメージです」

流山おおたかの森S・Cに行けば買い物も外食も大抵のものは揃うが、そこはあくまで「日常」だ。流山本町の古民家カフェや利根運河の散策はちょっとした小旅行になり、市民にとっては非日常の空間になる。そんな隠れ家的な「サードプレイス」を持つ街こそが「成熟した街」だと門脇は考える。

若者を引き寄せる力

和菓子店の店主を目指す稲葉は、門脇が進める古民家再生プロジェクトに乗った。紹介された物件は古民家と言っても電気以外何もない倉庫なので、店として使えるようにするには750万円の改装費がかかる。和菓子の工場で使う機材の投資が400万円。しめて1150万円の大投資である。

30歳そこそこの若者には重い金額だが、驚くべきことに稲葉は1200万円の自己資金を貯めていた。実家で「独立したい」と漏らした時、父親が「借金するのか」と心配そうな顔をした。その顔にカチンときた稲葉は、自宅通いだったこともあり、塩野の給料のほとんどを貯めていたのだ。

古民家プロジェクトの一つに入ったことで、流山市から350万円の補助金を受けられることにもなった。これで当面の運転資金も確保できる。

稲葉は店がオープンする時点でまだ32歳。オーナーになるには早すぎるのではないか、と問うと、しっかりした低い声でこう言った。

「飲食の業界誌を読んでいると、30代の人たちが続々とお店を開いています。最近も塩野時代の先輩が夫婦で土浦市にお店を持ちました。コロナ禍で在宅時間が増えて、ちゃんとしたものを食べたい、という人は増えています。塩野で働いていた時も、コロナ禍なのにびっくりするほどお客さんが来ました。きちんとしたものを作れば、そんなにたくさんではなくても、買ってくれるお客さんがいるはず。そのお客さんに『美味しい』と言ってもらえたら、少し自分を褒めてあげたい」

今時の31歳は、同じ年頃でバブルに浮かれていた筆者よりずっと地に足をつけて生きている。そんな若者たちを引き寄せる力が、今の流山にはある。

白みりん、小林一茶、近藤勇

流山市の「新しい顔」といえば流山おおたかの森だが、何度も書いているようにここは元国内希少野生動植物種の大鷹が生息する森だった。流山市の中で、古くから発展していたのは流山本町である。

江戸時代、下総国の一部だった流山は一部が軍馬を養う天領で、最初に栄えたのは現在の流山本町。市の西の境になっている江戸川の周辺だ。

江戸川の一部は徳川家康が江戸に入府した後、家臣の伊奈忠次らに命じた利根川東遷事業で生まれた人工水路だ。利根川は元々、現在の荒川流路を通って東京湾に流れ込んでいたが、数年に一度、氾濫して江戸を水浸しにした。家康は現在の埼玉県久喜市の辺りで利根川を渡良瀬川に合流させ、霞ヶ浦を抜けて銚子港から太平洋に注ぐルートを作った。水害の減った江戸は世界有数の都市として繁栄する事になる。

18世紀頃から江戸川は野田の醤油や流山の味醂を大消費地の江戸に運ぶ水運の要になる。それまで味醂といえば、関西で作られる赤黒い調味料を指したが、流山で誕生した「白みりん」はその名の通り透明で、ほんのり甘く、日本酒の代わりとして江戸の女性たちに人気を博した。

流山生まれの有名ブランド「万上味醂（現在はキッコーマン・グループ）」と人気を二分した「天晴味醂」で財を成した秋元三左衛門は「双樹」と号して俳句を嗜み、小林一茶と親交を深めた。記録によると一茶は流山と双樹がよほど気に入ったらしく、年に何度も双樹邸を訪れ、2人で連句を詠んでいる。

刀禰川は寝ても見ゆるぞ夏木立（一茶）
一村雨のほしき麦刈（双樹）

この時代は江戸川を「刀禰川」と呼んでいたらしい。おそらく双樹は一茶のパトロンであり、味醂で得た富を一茶のような文化人に惜しみなく注いでいたのだろう。当代一流の文化人を呼び寄せられるほど、当時の流山は豊かだったということである。

幕末、新政府軍に追われる新撰組隊長の近藤勇が会津に向かう途中で陣を構えたのも、今の流山本町にある長岡屋という酒造家の家だった。近藤はここで盟友の土方歳三と別れ、土方は箱館（現函館）に向かう。長岡屋で新政府軍に包囲された近藤は、流山の街が戦火に巻き込まれるのを嫌って出頭し、偽名を使って逃げおおせようとしたが、新政府軍の中に彼の顔を知るものがおり、板橋刑場で斬首された。

近藤のおかげで江戸の面影が残った流山本町の街で、市民の手による古民家再生が進み、流山の新しい魅力になろうとしている。

第7章　流山は1日にしてならず　角栄を口説いた男・秋元大吉郎

流山の恩人

ベビーカーを押すお母さん、地元の高校生、初老の夫婦。さまざまな人が行き交う流山おおたかの森駅。つくばエクスプレスと東武アーバンパークラインが交差する線路沿いにひっそりと立つ御影石の顕彰碑の前で足を止める人はいない。碑にはこう刻まれている。

「昭和60年7月11日、当時の運輸省運輸政策審議会答申において、常磐新線（現つくばエクスプレス）が流山市内を通過することが決定しました。本記念碑は、21世紀の流山市の大躍進をめざし東奔西走されその礎を築かれ市民宿願の東京都心への直結鉄道でありますす常磐新線を流山市内に立地誘導することに成功しました。流山市にとりまして、大功労者でありますす第3代流山市長秋元大吉郎氏の御功績を後世にわたり称え顕彰するものです。」

１９８３年から2期市長を務めた秋元大吉郎。１９２７年生まれ、御年95歳の古老を訪ね流山市北部の自宅に向かった。

流山街道を挟んで東側は東武アーバンパークライン沿いに住宅や商店街が密集しているが、江戸川に向かう西側は駅が少々遠いこともあり農地が広がっている。秋元の自宅は農地の真ん中にあった。玄関を潜ると正面に母屋。右に納屋、左に離れ。広い庭に大きな木が何本も植っている。この辺りの豊かな農家の典型的な作りだ。

流山市議の1期、千葉県議2期、流山市長を2期。20年の政治家時代に作ったものだろう、玄関の横にもう一つ入り口があり、引き戸を開けるとソファーとテーブルを置いた応接間になっている。自宅に上がり込まなくても秋元と話せるようになっているわけだ。

昭和の時代、絶対的な権力を握った元首相、田中角栄の「目白御殿」と呼ばれた自宅にも離れの間があり、角栄と面談する応接室とその隣に待合室があった。目白御殿の待合室は全国から訪れる陳情者で人の絶えることがなかったと言われる。

秋元邸の応接間はそこまで立派なものではなかったが、多くの陳情者や夜討ち朝駆けの新聞記者に追いかけ回される政治家や経営者の自宅には、こんな応接間がよくあった。訪れる側も家に上がり込む必要がないので気が楽で、迎える方も生活の場を覗かれない気安さがある。

秋元邸の応接間に入ると、「流山の恩人」は正面の定位置に座っていた。「つくばエクスプレス開設当時の話を聞きたい」と伝えると、95歳の古老はしばしメガネの奥の目を閉じ、やがて静かに語り出した。

「よっしゃ、わかった！」

「とにかく、あのオーラはすごかったよ。こちらの体にね、ピシピシと伝わってくるんだ」

1985年2月14日、秋元は目白御殿の待合室にいた。やがて呼び出されて応接室に入る。秋元が名乗ると角栄が言った。

「で、その流山市長が何の用だ」

日本列島改造や日中国交回復などを成し遂げ「今太閤」の異名をとった角栄だが、総理の在任期間は2年半（886日）と短い。金権政治批判で総辞職し直後にロッキード事件が発覚。だが、その後も裁判を戦いながら隠然たる権力を持ち「闇将軍」と恐れられた。

秋元が角栄邸を訪ねたのは、子飼いの竹下登らが「創政会」を立ち上げ闇将軍の権力に陰りが見えた1週間後のことだ。

秋元は持参した流山の地図を広げ、当時、地元の請願を受けて運輸省などが検討していた「常磐新線」の必要性と、流山市を通るルートの有用性を懸命に説明した。角栄は秋元にポンッとボールペンを渡した。

「あんたが希望するルートってのを、そこに書いてみろ」

秋元は秋葉原から三郷を抜け、流山市を南北に貫いてつくばに至るルートを書いた。

秋元が書いた線を睨みながら角栄が呟いた。

「しかし鉄道はなぁ。今は自動車の時代。鉄道は儲からんのだよ」

「列島改造」で上越新幹線、東北新幹線建設のきっかけを作った角栄だが、１９８５年の時点で国鉄の長期債務は23兆円を超えていた（ちなみに国鉄長期債務の残高は２０１９年度末時点で16兆円以上残っている）。当時の中曾根政権は国鉄改革に頭を悩ませ、国鉄の分割民営化を検討していたが、票田であり集金マシーンである国鉄を擁護する角栄は分割に反対していた。

「高速道路と鉄道が通れば地方は発展する」

角栄の列島改造論はそんな幻想を全国にばら撒いた。だが新幹線が通っても高速道路ができても都市と地方の経済格差は簡単には埋まらず、夢の後には莫大な借金が残った。政治家や官僚にとって「鉄道」は鬼門であり、流石の角栄も「新線」には及び腰だった。

追い詰められた秋元は土下座をせんばかりの勢いで叫んだ。

「先生、常磐新線は茨城、千葉と東京を結ぶ大動脈になります。必ず儲かります！」

角栄がピクッと反応した。

「儲かるのか？」

「儲かります。今ある常磐線は日本で一番混む『殺人列車』と呼ばれています。輸送需要は十二分にあるのです。新線が通れば沿線の住民はさらに増えます。絶対に儲かります」

「そうか国鉄は赤字でも、この新線は儲かるか。よっしゃ、わかった！」

角栄はその場で黒電話の受話器を取り、日本鉄道建設公団（鉄建公団、現独立行政法人鉄道建設・運輸施設整備支援機構）や運輸省の幹部と話し始めた。

「ああ、俺だ。今、流山の市長が来ていてな。常磐新線は絶対に儲かると言っている。うん、どうやら本当らしい。市長の話を聞いてやってくれ」

30分の面談が終わり、秋元は田中邸を出た。外は肌を刺す寒さだったが、秋元のワイシャツの背中は汗びっしょりになっていた。

その13日後、角栄は脳梗塞で倒れた。しかし角栄に「行け」と言われた鉄建公団や運輸省の幹部たちは、すでに「新線建設」に向けて動いていた。まさにタッチの差だったが、秋元は「権力」という大きな岩を動かすことに成功した。

ヘソのない陸の孤島

政令指定都市でもないちっぽけな市で、角栄とは縁もゆかりもない流山市長の秋元が目白御殿にたどり着くまでには、かなりの歳月がかかっている。

1981年、当時、秋元は千葉県議会の議員だった。ある日、県の議会で野田市出身の議員が知事に質問した。

「巷で噂になっている常磐新線というのは、我が県のどこを通るのでしょうか」

知事の川上紀一が答えた。

「今のところ県には何も話が来ておりませんが、もしそんな話があるとすれば県としても協力したいと考えておるところです」

秋元はピンときた。すでに野田市は新線の誘致に動いている。野田を通れば流山はルートから外れる。自分と同じ県議だった父親の言葉を思い出した。

「流山にはヘソがない」

1967年の町村合併で誕生した流山市は、それまで東葛飾郡に属していた。現在の市川市、野田市、流山市、浦安市などで構成された東葛飾郡は「千葉のチベット」と呼ばれるほど開発が遅れていた。

流山市の旧市街は市の西側にある江戸川沿いの本町周辺で市庁舎もそこにある。だが常磐線の馬橋から盲腸のようにチョロリと伸びる全長5・7㎞の総武流山線（現流鉄流山線）しか走っていない本町は寂れる一方だ。住宅が増えたのは柏と大宮を結ぶ東武野田線の沿線だが、この沿線にも市の発展の核となる街はない。つまり「ヘソがない」のだ。

「新線ルートから外れたら、また流山はおいてけぼりになってしまう」

秋元は焦った。

「また」というのは1896年に開通した土浦線のことを指す。海路を使っていた常磐炭鉱の石炭を陸路で運ぶために茨城県の土浦と東京の田端を結んだこの線ができる時、江戸川を使って味醂や醤油を東京に運ぶ水運の要として栄えていた流山では、住民が鉄道の建設に反対した。

用地買収に困っていた政府に「良ければうちのサツマイモ畑を提供しましょう」と申し出たのが柏の地主である。こうして我孫子、柏、松戸を通る常磐線のルートが決まり、物流の主流が水運から陸運に変わる中、流山はヘソのない「陸の孤島」となった。

霞ヶ関・永田町詣で

同じ失敗を繰り返してはならない。

だが1983年の9月、市長に当選した喜びに浸る間も無く、衝撃の事実が秋元の元にもたらされる。千葉県がまとめた常磐新線の「建設が望ましい6ルート案」の中に流山市がほとんど入っていなかったのだ。

6ルートのうち5ルートは柏駅を北に少し迂回する形で我孫子と松戸を結んでおり、流山には掠りもしない。1ルートだけが流山の南端を掠める形になっていたが、これでは新線は「街のヘソ」にはなり得ない。

その日から秋元は毎週のように霞ヶ関・永田町詣でを始めた。

「え、流山。どこだそれ」

「ああ、流れ流れて流山。タヌキしかいねえんだろ」

官僚も政治家も、最初は誰も相手にしてくれない。

気の短いことで有名だった自民党の政務調査会長に陳情しに行くと、怒鳴られた。

「何、鉄道だと？　ダメだダメだ。鉄道なんて赤字にしかならん」

「流山市民の悲願です。どうかご一考ください」

「なんだと。ダメだと言っとるのに、まだ分からんか！」

俳人でもある秋元は洒脱な言葉のやり取りを得意とするが、喧嘩は好まない。しかし自分の後ろには10万人の流山市民がいる。そう思うと、不思議と力が湧いた。

「話もろくに聞かずにダメはないでしょう。先生は常磐線が『殺人電車』と呼ばれているのをご存知ですか。乗車率１７０％。日本で一番の通勤地獄です。電車ってのは四角い箱だが、朝の常磐線は膨らんで丸くなってる。自由民主党ってのは、平気で国民をそんな殺人電車に乗せるんですか！」

秋元が啖呵を切り終わると、政調会長は目を丸くしてこちらを見ていた。

運輸省を訪ねるときも怖々だった。東大出の役人たちに議論で勝てる気はしない。秋元は運輸省の廊下を歩くとき、口の中で軍艦マーチを口ずさみ、自分を勇気づけた。

霞ヶ関や永田町に通うときの手土産も忘れなかった。自分と同じ姓の秋元一族が営む天晴味醂が作る「矢切の渡し」という名前の焼酎だ。包み紙には「秋元」と大きく書いてある。名前を覚えてもらうには持ってこいだ。

「いつもお仕事、ご苦労様です。お疲れでしょうから、たまにはこれで船酔いしてくださいな」

そんなことを繰り返すうち、はじめはけんもほろろだった役人たちが「お、流山がまたきたな」と言いはじめ、木更津出身の課長らが「秋元、頑張れよ」と応援してくれるようになった。

運輸官僚の間で有名人になった秋元は時の運輸大臣、山下徳夫に引き合わされた。秋元は運輸省に陳情に行くたびに大臣室に呼び出された。どうやら山下に気に入られたらしい。いつも手土産に「矢切の渡し」を持ってくる秋元に山下は言った。

「流山ってのはずいぶん広いんだな。トウモロコシを育てるには北海道みたいに広い土地がいるんだろ」

「いやいや大臣、流石にトウモロコシは他から買っています。でも焼酎を作るくらいの土地ならいくらでもあります」

この頃、首相の中曾根は政権浮揚を狙って頻繁に内閣を改造したため、山下は1年余りで運輸大臣を去ることになる。運輸省を去る日、山下はたまたま居合わせた秋元を連れて省内を回った。

「世話になったな。ありがとう。ところでこれが流山の市長だ。新線の誘致で一番頑張ってる市長だから、俺がいなくなった後もよろしく頼む」

この時代の政治家は義理堅いところがあったわけだが、大臣にここまで言わせた秋元の「人たらし」ぶりも大したものだ。

松戸、野田との棲み分け

秋元は地元でも人たらしの才能を大いに発揮する。

1985年のある日、秋元は紫陽花で有名な松戸市の本土寺で、松戸市長の宮間満寿雄と庭を眺めながら日本酒を酌み交わしていた。

「先輩、新線のことですがね」

「うん？　常磐新線か」

「ええ、陸の孤島の流山はどうしてもルートに入りたいんです。先輩のところはどんな構えですか」

「ウチは他のことを考えてる」

「他のこと、というと？」

「うん、営団地下鉄の9号線（現東京メトロ千代田線）な、あれをこっちまで引っ張れそうなんだよ」

「ああ、それはいい。大手町、霞ヶ関まで一直線だ！」

秋元と宮間は地元きっての進学校、東葛飾高校の先輩後輩である。ドラッグストア「マツモトキヨシ」の創業者で松戸市長になると「すぐやる課」を作って有名になった松本清が在職中に死亡し、その後を受けて市長になった宮間は、1973年から松戸市長を務めている。自分より10年早く市長になった宮間を秋元は「先輩、先輩」と立てていた。

秋元は霞ヶ関・永田町に陳情に行くと、さりげなく営団地下鉄9号線の話も聞き、最新の情報を宮間に伝えた。官僚や政治家には「松戸市までの延伸」を進言し、宮間を援護射撃した。宮間との間で「松戸は営団地下鉄、流山は常磐新線」という棲み分けの構図を作った。

秋元は、新線ルートの有力候補だった野田市の市長である川島健正とも頻繁に情報交換をした。川島は営団地下鉄8号線（現東京メトロ有楽町線）を野田市まで延伸させることを望んでいた。秋元は宮間と川島を流山本町の老舗料亭、柳家や、利根運河開通の2年後に開業した料亭旅館、新川に招いて会食を重ね、「東葛地区を一緒に発展させましょう」と場を盛り上げた。

霞ヶ関や永田町を回った帰り道、秋元は千葉県庁に寄って知事の沼田武を訪ね、官僚や政治家とのやり取りを逐一報告した。

新線が流山を通るとルートから外れる野田市のために、野田発祥の有力企業であるキッコーマンの中興の祖、茂木啓三郎（当時は社長を退き千葉県経営者協会の名誉会長などをしていた）と一緒に、東京都墨田区押上にある東武鉄道の本社を訪ね、担当の専務に掛け合った。

「野田市は住環境もよく、まだまだ人口が増えます。東武さんが東京と直結する線路を敷けば発展間違いなしです」

新線誘致のライバルになる近隣自治体の市長と腹を割って話し「今、何に困っているのか」「どんな希望を持っているのか」を打ち明け合うことで、秋元は新線ルートを流山に誘った。「でも自分のところだけいい思いをしよう、というのではうまく行かんのですよ。何せ東葛地区は千葉のチベットですから。市長同士が協力して、県の目をなんとかこちらに向けさせよう、という共通の利害がありました」

秋元は当時をこんな風に振り返る。

審議会のキーパーソン

霞ヶ関通いを続けるうちに、秋元には新線計画の鍵を握るのが運輸政策審議会という運輸省内の審議会であることがわかってきた。運輸の専門家や有識者が集まって10年後の運輸政策をまとめ大臣に建議する組織だ。その中に流山市の隣の野田市に住む人物がいた。

寺田禎之。１９５９年に大阪外語大外国語学部（ヒンディ語専攻）を卒業し、61年に日通総合研究所入社。この頃は日通のシンクタンクである運輸経済研究センターで働いていた。運輸研究の第一人者だ。ある日、秋元は自宅の裏庭で取れたタケノコ3本をぶら下げて、寺田のオフィスを訪ねた。

地元愛の強い寺田に、秋元は「東葛地区をなんとか発展させましょう」と訴え、寺田を「流山まちづくり委員会」の顧問に引き摺り込んだ。新線を流山に誘致するための「応援団長」に担ぎ上げられた寺田はのちに、「秋元にタケノコ3本で騙された」とあちこちで言い回り、秋元の「タケノコ3本」は地元で有名なエピソードになった。

秋元の期待通り、寺田は八面六臂の活躍を見せた。1986年に流山市、柏市、八潮市、台東区など9つの自治体で作る「常磐新線建設促進都市連絡協議会」が発足し、その下に有識者で構成する交通運輸顧問が創設された。交通計画学の権威で東京大学名誉教授の八十島義之助、京都大学教授で政策学の泰斗、伊東光晴、元朝日新聞記者で交通評論家の岡並木、元建設官僚で首都高速の建設にも関わった都市計画の専門家、井上孝。錚々たるメンバーを集めたのが寺田だった。

近隣市との軋轢をうまく避けた秋元が、さらに気を配ったのが地元対策だ。新たに道路や鉄道を通すとき、地元住民を敵に回せば沿線の用地買収などが滞り、反対運動が大きくなれば計画そのものが危くなる。

秋元は流山市議、千葉県議の時代にその難しさを目の当たりにしていた。流山市の住民はその時の「戦果」を今も見ることができる。

常磐自動車道は流山市をほぼ南北に縦断している。しかし市民は日々の暮らしの中でその姿を見ることはない。高速道路の代わりに市民が見ているのは広大な公園だ。常磐自動車道は流山市内の区間で半地下構造になっており、その上に蓋がされ、蓋の上が公園になっている。子供たちが遊び市民が憩う公園の足下を自動車が走っているのだ。

三郷市とつくば市を結ぶ常磐自動車道の建設計画が持ち上がったのは1970年。この路線は三郷ジャンクションから柏インターチェンジまでの区間、流山、柏の市街地を通過することになっており、地元住民が猛反発した。

71年に路線が発表されると、流山市の5地区1000世帯が「流山の生活環境を守る会」を結成し、反対運動を組織化した。

「プロの活動家じゃない。公団が説得に行くと、お母さんたちが鍋釜を叩いて追い返したんだ。子供たちが安心して暮らせる環境を守ろうと必死だった」

秋元はこう説明する。

政府は1985年に筑波研究学園都市で「国際科学技術博覧会（つくば万博）」を開

くことを決めており、それまでに何としても東京とつくばを結ぶ高速道路を作らなければならない。焦る日本道路公団を相手に住民は優位に交渉を進めた。

騒音と排ガスを問題視する住民に対し、公団ははじめ「半地下構造」を提案したが、住民はこの案をはねつけ、「完全地下道」を求めた。

結局、公団側が住民の要求を飲み、柏から流山の区間は半地下の上に蓋を被せた「完全地下道」で工事が始まり、つくば万博が開催される1985年の1月、ギリギリのタイミングでこの区間が開通した。

住民への説明を徹底

鉄道の新線でも同じことが起きる可能性は十分にあった。流山市は、完全地下道を勝ち取った行き掛けの駄賃で常磐道三郷ジャンクションと柏インターの間に「流山インター」を新設することを公団に認めさせていた。1983年の市長選に立候補した秋元が「流山インターの建設」を公約に掲げると、市内の一部地域で再び反対運動が起き、反対派100人が秋元のところに押しかけてきた。

秋元はインターの利便性を懸命に説き、やがて住民も鉾を納めた。実際にインターができると東京が一段と近くなり、都内の大企業に勤めていた反対派のリーダーは「会社が近くなって助かったよ」と頭をかいた。

話せばわかるが怒らせたら怖い。流山市民の「実力」を知る秋元は、ボタンの掛け違いが起きないよう、新線誘致でも早い段階から住民への説明を徹底した。住民と車座で話し合う座談会には、必ず交通運輸顧問の大御所を連れていき、住民の疑問に答えた。

千葉県には世界の空港建設史の中でも稀に見る難航を続けた新東京国際空港（現成田国際空港）「三里塚闘争」の経験がある。政府が騒音や民有地の買収に反対する住民と睨み合っている間に、新左翼活動家が介入し、双方に死者を出す凄惨な闘争に発展した。

「丁寧に説明する、なんてもんじゃない。這いつくばってお願いするんだ。地元とこじれて長引くと、反対運動のプロが入ってくる。そうなる前に決めないとダメなんだ」

常磐新線の建設が始まる段階では、流山インターの建設に反対した人々もすでに「秋元支持」に回っており、入念な事前説明を重ねた結果、流山では大きな反対運動もなく粛々と新線の建設が始まった。

「顧問の先生方の力が大きかったな。それぞれの分野で当代一流の人たちだったから、みんな素直に話を聞いてくれた」（秋元）

流山市を縦断するルートがほぼ確定した1985年8月。秋元はなけなしの市の予算を使ってヘリコプターを飛ばした。運輸省の幹部、千葉県知事の沼田武、県の関係者、松戸、柏、野田など近隣市の市長、記者団などを乗せ、空の上から「流山を通るルートがいかに合理的であるか」を熱弁した。

1986年8月には常磐新線建設促進都市連絡協議会の会長である台東区長の内山榮一が、顧問団の意見を元にした陳情書を携えて運輸大臣の橋本龍太郎と面談。党内きっての実力者だった橋本から「新線の建設は緊急課題の中でも特に喫緊な路線である」という言質を引き出し、新線建設はいよいよ現実味を帯びた。

同じ月、秋元は顧問団を乗せて再びヘリコプターを飛ばした。ここまで骨を折ってくれた彼らへのお礼のつもりだった。空の上で寺田が言った。

「こうして空から見てみると、我々の答申はやっぱり正しかった」

1991年、一都三県と沿線自治体が出資する第三セクター方式で「首都圏新都市鉄道」が発足。この会社が92年に鉄道事業免許を取得し、94年に鉄建公団による建設が始まった。流山市には都心からつくばに向かい「南流山」「流山セントラルパーク（当初の仮称は「流山運動公園駅」）」「流山おおたかの森（同、「流山中央駅」）」の三駅が作られることになった。

人口が2倍の柏市が「柏の葉キャンパス」「柏たなか」の二駅、三郷市、八潮市が一駅ずつであることを考えれば、流山が特別扱いを受けているようにも見える。秋元は言う。

「市長が霞ヶ関まで毎週、陳情に行ったのは流山くらいだったでしょう。関係者の方々が最後に一駅、おまけしてくれたのではないかと思っています」

つくばエクスプレスと東武アーバンパークラインが交差する「流山おおたかの森駅」は、秋元の父が求めて止まなかった「流山のヘソ」となり、目覚ましい発展を続けている。

しかし秋元は「まだまだ」と言う。

「つくばエクスプレスの開通で東京が近くなったところで、『母になるなら、流山市。』と子育て世代を誘致したのはいい着想だと思います。ただ流山市には安心して子供を産める場所が少ない。命を守れる街にならなければ、本物のヘソができたとは言えないでしょう」

流山を音読みすると「りゅうざん」になる。「縁起が悪い」と近隣の柏市などで出産する人も少なくない。そんな事情もあって市内には大規模な産婦人科がない。

「東京の人も茨城の人も安心して子供を産みに来られる街になった時、流山市は本当の意味で『母になるなら、我が街で』と胸を張れるのではないでしょうか」

そう語る95歳の御隠居の顔つきは、すっかり「市長」に戻っていた。

第８章　野菜買うなら流山　有機農法の鉄人・小野内裕治

リクルートから有機農法へ

流山市のファミリーマートには、他所で見かけない赤と緑の、のぼりが立っている。

「えか野菜」

「えかオーガニック農場」

店内に入ると「えか野菜」の看板がかかった棚に、季節の野菜が10種類ほど並んでいる。夏ならキュウリ、ナス、オクラ、トマト。つる紫、空芯菜、モロヘイヤといった変わり種もある。ナスなら7、8本入り、モロヘイヤも4人家族で一度に食べきれないほどの量が入って、どれも一袋150円。スーパーの野菜より安い。

だが驚くのは値段だけではない。一度食べれば分かるが、とにかくその野菜本来の味がする。

えかオーガニック農場は流山市北部の西深井、物流倉庫が立ち並ぶ江戸川沿いの河川敷から少し台地を登ったところにある。農場の横でも即売している。ナスとオクラを買ったら「これ規格外なんでタダでどうぞ」と井戸水で冷やしたキュウリをくれた。その場で齧ると口いっぱいに夏の香りが広がった。キュウリってこんなに美味かったっけ。

2005年に開園したこの農場を経営しているのは「えか自然農場」代表取締役の小野内裕治。「えか」は「Earth Clean Associate（アース・クリーン・アソシエイト）」の頭文字で、化学肥料や農薬を全く使わない有機農業にチャレンジしている。

真っ黒に日焼けしてゴム長靴をはいた小野内は農家にしか見えないが、53歳で会社を辞めるまではバリバリのサラリーマンだった。働いていたのは主にリクルートとその子会社だ。

江副社長からの電話で東京へ

小野内は新卒でリクルートの名古屋支社に入社した。名古屋には、創業者の江副浩正と掛け合って「トヨタ課」を作った初代名古屋支社長の下田雅美がいた。

当時のリクルートは大学生や高校生向けの人材情報誌『週刊就職情報』が主力の事業

で、企業から求人広告を取るのが小野内たち営業マンの仕事だ。大口のトヨタは支社長の下田が担当し、小野内は「トヨタ以外のトヨタグループ」を任された。

狙うは日本最大の自動車部品メーカー、デンソーだ。しかし１９８０年のオイルショック後の不景気に苦しむ日本企業はどこも採用を手控えており、デンソーも例外ではない。求人広告は無理だと考えた小野内は、人事部より大きな予算を持つ宣伝部や営業部に狙いを変えたが、そこには広告代理店の電通、博報堂ががっちり食い込んでいた。

仕事が取れず悪戦苦闘する小野内を見かね、デンソーの営業部の１人が言った。

「今度、カーエアコンの冬の販促でコンペがあるんだけど、出るだけ出てみる？」

電通、博報堂の当て馬であることは重々承知だが、仕事がないよりましである。支社長の下田に相談すると「やるからには勝ちにいけ」というわけで、リクルートのクリエイティブ部門のトップをリーダーとするチームが立ち上げられた。

黒柳徹子や樹木希林を起用した『週刊住宅情報』のテレビＣＭなどで世間をアッと言わせたリクルートの製作部門の実力には昔から定評があり、その伝統は今も堀田真由を使った『ゼクシィ』のＣＭや斎藤工を起用した『インディード』のＣＭに受け継がれている。

若いクリエイティブが全力で作ったカーエアコンのCMは電通、博報堂を押しのけてコンペに勝ってしまう。その勢いのまま本命である夏のCMも取ってしまい、あっという間にデンソーはリクルートの大口クライアントになった。

「人材狂」と言われた江副は、大口商談のきっかけを作った小野内のような社員を絶対に見逃さない。1988年のある日、江副は名古屋支社で次長になっていた31歳の小野内に直接電話をかけてきた。

「ああ小野内くん。君、今年の10月から東京だから」

その直後に江副はリクルート事件で逮捕された。しかし社長直々の異動命令は生きており、小野内は『不動産情報』という不動産会社向けの仲介情報を手がける仕事を任された。逮捕前、江副はバブルで過熱する不動産と株に熱を上げており「三井不動産を超える不動産仲介会社を作れ」とゲキを飛ばしていた。

日本の土地の時価総額で「アメリカが四つ買える」と言われたバブルの絶頂期。小野内は不動産会社の社長たちを連れ「視察」と称してニューヨーク、サンフランシスコ、ロサンゼルスを回った。億ションを見学した社長たちの感想は「安いもんだねえ」。不動産が爆上がりした日本の感覚に麻痺していた。

圧倒的当事者意識

こんな具合に猛烈サラリーマンをやっていた小野内は接待、接待で毎晩、午前様。肝臓が悲鳴を上げ、医者には「あんた倒れる寸前だよ」と忠告されたが、構うことなく働き続けた。

バブルを謳歌していた小野内だが、「もうすぐ飲水が有料になる」という記事を読んだのをきっかけに東京の水道水を飲む気がしなくなった。記事は農場やゴルフ場で使われる農薬で川が汚染され、水道水も汚染されようとしていることを伝えていた。

農業に興味を持った小野内は、現代の農業が化学肥料、除草剤、殺虫剤にどっぷり浸かっている実態を知る。

こうした事実を意識した時、普通の人が取るのは「水道水を飲まずにミネラルウォーターを買う」「有機野菜を買う」という行動だろう。リクルートでは「目の前に課題があったら、我が事と考え、実践でそれを乗り越えろ」と教えられる。江副が唱えた「圧倒的当事者意識」という考え方である。この教えに従えば、小野内は自ら農業をやらなくてはならない。

江副は「会社がダメだから思い通りに働けない」「上司が分かってくれないから仕事ができない」と不満を漏らす社員にこういった。

「じゃあ君はどうしたいの？」

不満を口にする社員が「僕ならこうします」と言うと、江副はニヤリと笑いこう言うのだ。

「いいねえ。じゃあそれ、君がやって」

こうやって江副は社内の批評家を当事者に変えてきた。当然、若い頃から江副に目をかけられてきた小野内の体にも「圧倒的当事者意識」が染み付いており、農薬の実態を知った以上、ミネラルウォーターを買うだけで終わるわけにはいかなかった。小野内は有機農業を学び、週末に自宅のプランターで実践し始めた。

やがて小野内は20世紀の前半に土壌バクテリアの有効な利用方法を研究したアメリカの医師、アープ・トーマスの研究にたどり着く。1911年、人類の腸内で生存可能な乳酸菌の発見を仏パスツール研究所の論文で発表したトーマスは、その後、バクテリアを使った有機肥料の開発に成功し、米欧の農場に供給した。

小野内は「トーマス菌」と呼ばれるこのバクテリアに改良を加え、オリジナルの有機肥料「えか５」を開発した。

「これは商売になる」と考えた小野内は「えか５」を総合商社に持ち込んだ。しかし化学肥料原料の輸入で莫大な利益を上げている商社は見向きもしない。仕方がないので、知り合いを通じて筑波大学の正門前に一反の畑を借り、そこでトマトやカブやナスを育て始めた。

「えか５」を使った野菜は元気に育ち、リクルートの孫会社、コスモス・ライフの役員になっていた小野内は、週末ごとに社員を連れて収穫に出かけた。報酬は美味しい有機野菜である。

都心から25分の場所にある耕作放棄地

その農園に小野内の友人が連れてきたのが藤後省二。東京の会社に務めるサラリーマンで松戸市に住んでいた。つくばの農園が手狭になり「広いところに移ろう」と新しい畑を探していたら、藤後の知り合いが流山市の地主を紹介してくれた。その土地は耕作放棄地になっており、地主は言った。

「ちゃんと草刈りしてくれるなら、とりあえず一反、使っていいよ」

東京のサラリーマンが農業なんて。3年もすれば飽きて帰るだろうという雰囲気がありありだったが、小野内は全く別のことを考えていた。

「こんな都心から近い場所に、こんなに空き地があるのか」

つくばエクスプレスが通り、都心まで25分で行けるのに、駅から少し離れると田畑や耕作放棄地がたくさん残っている。今まで開発されなかったことが奇跡に思えた。

小野内と藤後は機械を入れて耕作地を広げ、人を増やし、育てる品種を増やしていった。

「有機農業での野菜づくりなんて、誰も本格的にはやっていないから、教えてくれる人はいません。自分たちで試行錯誤を重ね、やがて年に60種類の野菜を育てるようになっていました」

限られた土地で60種類もの野菜が作れたのは「えか5」の威力だ。普通の野菜畑は、一つの場所で年に1種類か2種類の作物しか作らない。土を休ませる必要があるからだ。しかし「えか5」を使うと野菜がよく育ち、ほうれん草が終わったらトマト、その次はカブと、土を休ませなくてもどんどん連作できた。

リクルート事件で逮捕された江副はその後も裁判を戦いながら、定期的に小野内を呼んだ。リクルートの経営から退いた江副は不動産と株の投資にのめり込んでおり、リクルートの不動産子会社にいた小野内に最新の不動産情報をレクチャーさせていたのだ。

一方の小野内は、土地やマンションを売り買いしたり管理したりする平日の仕事より、週末の農業の方が面白くなっていた。

ある日、小野内は江副に言った。

「江副さん、リクルートは志布志（鹿児島県）や安比高原（岩手県）のファームで農業をやっていましたよね。もう一度、農業をやりませんか」

しかし不動産と株に取り憑かれた江副はつまらなそうに言った。

「農業？　あれはダメだよ。儲からないから」

リクルートを立ち上げた頃の江副なら目を輝かせたかもしれないが、この頃の江副は「起業の天才！」から「金の亡者」に変わりつつあり、小野内の提案には見向きもしなかった。

リクルートには会社を辞めることを「卒業」と呼び、40歳前後で起業したり転職したりするのが当たり前、という社風がある。リクルートの創業期に江副が「中高年になって人件費が上がる前に辞めてもらおう」と、40歳前に退職金のピークが来る年金制度を作ったことに由来する。

代謝の早い組織の中で50歳を過ぎた小野内は立派なロートルである。

「今の会社には自分より優秀な若い社員がたくさんいる。もう自分の出番はない」

そう考えた小野内は、周囲の制止を振り切って独立した。

第二の人生の中心は有機農業だが、それだけで食べていける状況にはまだ至っていない。生活を支えるため、都内に事務所を構え、障がい者を中心にした就労トレーニングと障がい者人材紹介の会社「ＥＣＡ」を立ち上げた。

「太陽の光を浴びると精神疾患が和らぐ」と聞いたので、小野内は人材の会社で関係ができた障がい者を流山の農場に連れ出すようになった。確かに太陽の光を浴び、土を触っていると障がい者の表情が和らいだ。野菜の小さな種を一つずつ摘んで苗床に埋めるような単純作業を、驚くべき正確さで飽きずに黙々と続ける者もいた。

障がい者を農場へ

「有機農業」と「障がい者の就労」。二つの仕事が頭の中で重なり、小野内の中の「圧倒的当事者意識」が頭をもたげた。小野内は霞ヶ関に乗り込み、農林水産省、厚生労働省の担当官と直談判を始めた。

農業の人手不足に悩む農水省は人手として障がい者の活用を検討しており、厚労省は障がい者の自立支援の一環として農業に注目していた。厚労省の担当課長は後に冤罪事件に巻き込まれる村木厚子だった。

２０１１年、小野内は柏市にある千葉県立柏特別支援学校を訪れ、１名を採用した。この時、採用した生徒は今も流山の農園で働いている。

小野内はＥＣＡの仕事の一つで、コンビニ大手ファミリーマートの障がい者就労コンサルティングを請け負っていた。ファミリーマートからは「障がい者雇用を増やしたい」という要望があった。

そこで小野内はこんなプランを提案する。ＥＣＡがファミリーマートから有機野菜栽培の仕事を受託し、ファミリーマートが採用した障がい者に流山の農場で働いてもらう。

ファミリーマートは小野内の提案に乗り、同社が雇用する数十名の障がい者たちが流山の農場にやってきた。今、その数は46人になっている。関係者の間では「農福（農業と福祉）連携の先駆的な事例」と言われている。

この章のはじめで触れたように、流山、松戸市内のファミリーマート13店舗（２０２

2年4月時点）で「えか野菜」が売られるようになったのは、自然な流れだった。24時間営業のコンビニで新鮮な有機野菜が買えるのは、流山市民のちょっとした自慢である。

２０２１年にファミリーマートの社長になった細見研介は、えかオーガニック農場に足を運んでおり、年に数回は「両親が喜ぶ」と段ボール箱いっぱいに詰めた「えか野菜」を贈っている。22年にはその年にファミリーマートに入社した１３４人全員が、新入社員教育の一環としてえかオーガニック農場で研修を受けることになった。

えかオーガニック農場は「種まき、植付けの2年以上前、及び栽培中に、原則として化学的肥料及び農薬は使用しないこと」などの条件を満たした農林水産省の「有機ＪＡＳ（日本農林規格）」と、日本ＧＡＰ協会（ＧＡＰは「良い農業の取り組み」の略）が定めた「農薬・肥料の管理など持続可能な農業につながる基準」である「ＪＧＡＰ」の両方を取得している。

千葉県には３４０００軒を超える農家があるが、有機ＪＡＳを取得している農家は１３１軒、ＪＧＡＰを取得している農家は49軒、両方取得している農家は6軒しかない。えかオーガニック農場はその中の一つだ。

フードロスゼロを目指す

「綺麗な水を取り戻したい」から始まった小野内の挑戦は次の段階に入ろうとしている。流山市と協力し、市内のレストラン、コンビニ、学校、家庭に「えか5」のタネ菌を提供し、お店や自宅で出る食べ残しや生ゴミと一緒にコンポストに入れて「えか5」を作ってもらう。出来上がった「えか5」を農場に持ってきてくれれば、有機野菜と交換するというプロジェクトだ。小野内は言う。

「レストランやコンビニで出る残飯は産業廃棄物扱いで、業者に有償で引き取ってもらっている。それを有機肥料に変えることで、流山市がフードロスゼロの街になったら、面白いと思いませんか」

もうすぐ70歳を迎える小野内だが、体の調子は会社勤めをしていた時よりはるかに良いのだという。

「会社時代は本当に毎晩、飲んで、馬車馬のように働いていましたが、会社を辞める時、一つだけ決めたことがあるんです。午後5時以降は絶対に働かない。今は6時になるとビールを飲んでいます。うちの野菜を食べ続けていることもあるのでしょうが、サラリーマンの時はドクターストップ寸前だったのに、今では健康診断がオールAです」

えかオーガニック農場には、市内の人々だけでなく、評判を聞きつけて東京や横浜から有機野菜を買いに来る人々がいる。近隣市からは「うちの市でも買えるようにしてほしい」という要望が相次いでいる。

「流山には、味醂の他に名物があまりありませんから、『えか野菜』をブランド化して、流山の名物にできたらいいな、と思ってるんです」

中でも売り物にしようと考えているのが野菜として食べる青パパイヤ。美白、保湿、便秘の改善や、代謝を高める効果があるとされており、「流山の名産にできないか」と小野内は目論む。

下総台地で「有機農法の鉄人」が見る夢は、果てしなく広大である。

第9章　天才サッカー少年が球団社長になる　流山ＦＣ・安芸銀治

ゴルフと宴会の日々

前述のとおり、筆者は１９９３年に流山市に小さな一戸建てを建てた。勤めていた日本経済新聞では「家を買うと転勤になる」というジンクスがあったが、幸いなことに８年間は東京勤務が続き、新居での生活を楽しむことができた。

とはいえ東京・大手町で働く新聞記者で、８年のうちの前半はバブルの余韻が残る時代だったため、朝８時に家を出て取材に向かい、夜中に２時過ぎに乗合タクシーで帰宅する日々が続いた。

週末はゴルフである。近場のゴルフ場は予約が取れず、箱根の向こうや茨城県と福島県の県境、栃木県や群馬県の奥まで車を飛ばした。東名も中央も関越も東北も朝６時を過ぎればゴルフ族で渋滞が始まるため、４時に家を出る。コンペの終わりは長い宴会が待っていて、午後6時にゴルフ場を出て帰宅が10時を過ぎることもあった。

子育ては妻に任せっきり。ゴルフのない週末は昼過ぎまで惰眠を貪り、夕方に子供を連れて近所の公園に出かけるのが関の山である。「日本経済のど真ん中にいるのだ」という幻想にどっぷりと浸かり、自分が住んでいる街のことなど一顧だにしなかった。地域活動など「お年寄りの暇潰し」と決めつけていた。

英国でのサッカーの楽しみ

バブル崩壊が顕在化し、すっかり日本経済の成長が止まっていた1998年、筆者は欧州総局（ロンドン）に赴任する。昔の言葉で言えば特派員だ。日本食材が手に入りやすいという理由でウインブルドン近郊のコリアンタウンの近くに住んだ。

当時、英国では「フィールドの貴公子」と呼ばれていたサッカー、マンチェスター・ユナイテッド（略称マンU）のデビッド・ベッカムが大活躍していた。テレビは魔法のような右足のキックを何度も映し出した。ロンドン子は地元のアーセナルやチェルシーを応援しており、イングランド代表ディフェンダーのキーオンなど名選手が活躍していた。

ミーハーな筆者は小学生の息子を連れて建て替えられる前のアーセナルのホーム、ハイバリー・スタジアムに足を運んだ。世界で最も人気のあるプレミアリーグのチケットを入手するのは至難の業で、ダフ屋から法外な値段で買わされた。

そんなチケットなので当然、良い席ではない。ハイバリーの古いスタジアムは客席の勾配が緩く、奥の席からは雨よけのひさしと前に座る巨漢のおっさんの頭の隙間に細長く緑色のピッチが見える感じだ。試合中に立ち上がると後ろから罵声が飛ぶ。

しかし試合中に何度か、おっさんたちが一斉に立ち上がり、巨大な壁が出現する。

「何が起きたのか」と息子とキョトンとしていると、おっさんたちが座る。ピッチの上にはアーセナルの選手たちの歓喜の輪ができており、スタジアムのスクリーンは繰り返しゴールシーンを映し出す。

「ああ、いま点が入ったんだ……」

驚くべきはおっさんたちの立ち上がるタイミングである。シュートの瞬間に立ち上がるのでは遅い。スペースを走る選手にスルーパスが出た瞬間。フォワードが相手ディフェンダーの裏に抜けた瞬間。つまりシュートの１手か２手手前で、彼らはゴールを予感して立ち上がり、両の拳を突き上げる。シュートが決まればそのまま、歓喜の合唱が始まり、外れるとその手で頭を抱える。

試合開始前からビールを飲み続けてベロベロのくせに、立ち上がるタイミングは絶対に間違えない。届くはずの場所に出たパスに選手が追いつけないと「サボってんじゃねえ」とブーイングが飛ぶ。サッカーのリテラシー（読解力）が恐ろしく高いのだ。

プレミアリーグのない週末、家の近所を散歩していると、そのおっさんたちが突き出した腹をぱつぱつのユニフォームに包んで走る（歩く？）姿に遭遇する。大英帝国の元サッカー少年たちは腹が出ても、頭が禿げ上がってもサッカーを愛し続ける。ひと汗流すと、近所のパブで喉を潤し、勢いをつけて地元チームの応援に出かける。

「おーいロジャー、去年より足が遅くなってねえか」

「ジョン、そんなプレーしてたら店を手伝えってカミさんに叱られるぞ」

選手はみんな顔見知り。子供の頃から知っているサッカー小僧で、消防士やパブの店員をやりながらサッカーを続けている。

英国には全英フットボール協会（ＦＡ）が管轄するだけでプレミアリーグを頂点に11のリーグがある。５部から11部までが全国区のナショナルリーグでそこから下は地域リーグだ。トッププロには子供の頃から才能を見込まれプレミアの下部組織で育つ選手が多いが、中には地域リーグからのし上がってプレミアにたどり着く者もいる。地域の英雄だ。

年に一度、ＦＡが主催するＦＡカップにはＦＡに登録している７００以上のチームが参加する。１８７１年に始まった世界最古のカップ戦で、何回か勝ち抜くと「オラが街のチーム」がプレミアのチームと当たることもある。どちらのホームで試合をするかは抽選なので、街のオンボログランドにベッカムが来たりする。

「どこで着替えるの？」

「申し訳ないけど、その辺のベンチで」

こんな珍妙なやり取りも起こり得る。

サッカーは何が起こるかわからない。上のカテゴリーのチームを喰う「ジャイアント・キリング」が起きようものなら、街は上を下への大騒ぎだ。

流山でサッカー漬けに

４年間の英国暮らしで「ライフ・イズ・フットボール」とも言うべき英国のおっさんたちの楽しげな生き様に感化された筆者は２００２年に帰国すると、小学３年生の息子を地元のサッカー少年団に入れ、週末の試合の応援に通うようになった。そのうちちょっかいを出したくなり、球拾いを始めた。するとボランティアのコーチから「大西さんもやってみませんか。人手が足りないので手伝ってもらえると助かります」とコーチに誘われた。

自分の息子だけならともかく、よそ様の子供を指導するとなると無資格というわけにもいかない。まず4級審判の資格を取り、しばらくしてから日本サッカー協会C級コーチの資格を取った。この研修が大変だった。周りは高校サッカーで全国大会の常連校の元選手ばかりで、サッカー経験のない筆者が実技でどれほど苦労したかはお察しいただきたい。準備運動だけで息が上がり、グランドの隅にうずくまっていた。

少年団は完全なボランティア団体でお月謝の類は一切、受け取らない。かかる費用は怪我をした時のための保険と、遠征や試合の参加にかかる実費だけである。近隣に試合に行く時は父兄の車に子供たちを分乗させていく。「お当番」というやつだ。

練習は原則、全ての週末と祝日。練習は1日2~3時間ですむが、試合だと早朝のグランド設営から審判、後片付けで1日がかりの仕事になる。

流山には7つの少年団がある。私が所属しているのは「ペガサス・ジュニア・フットボールクラブ」という流山市北部の小学校のグランドを練習拠点とするチームである。

小学校1年生から6年生まで6チームがあり、それぞれにコーチが数名ついている。全員ボランティアだ。半分は自分の子供がチームにいる「お父さんコーチ」だが、私のように自分の子供が卒業してもコーチを続けている酔狂な人間も数多くいる。サッカーが好き、子供が好き、飲むのが好きと動機は様々だ。

20年もコーチを続けていると、最初に卒業させた代はもうすぐ30歳。街であっても分からないだろう。卒業生の子供が再びチームに入るケースもある。

チームの創設者でペガサスＪＦＣ会長の白井榮一は都内に勤めるサラリーマンだった。当時は市の南部、流鉄流山駅のあたりにしか少年団がなかったので、息子にサッカーをやらせるためバスで通った。やがて北部の開発が進んで子供の数が増えてきたので、「暖簾分け」の形で北部にペガサスを立ち上げた。40年前の話である。流山市少年サッカー連盟の会長も務めた北海道出身の白井は言う。

「我々には帰るべき故郷があるが、子供たちにとってはここ（流山）が故郷。流山を故郷と呼べる何かを作ってやりたかった」

その思いが脈々と受け継がれ、流山少年サッカーの歴史が育まれてきた。やがて隣の柏市を本拠とするJリーグの「柏レイソル」が誕生し、柏市と流山市の境にある流通経済大学付属柏高校（流経大柏）が市立船橋高校と並ぶ高校サッカー全国大会の常連校になる。レイソルにも流経大柏にも育成組織があり、そこに入ることが流山のサッカー小僧の目標になった。柏レイソルと流経大柏ができたことで「千葉のチベット」と呼ばれた東葛地区に「サッカーどころ」という新たなアイデンティティーが生まれた。ペガサスからもほぼ毎年、レイソルか流経大柏の中学生チームに何人かの選手が進む。

初の社会人サッカークラブ

そんなサッカー漬けの日々のある日、気になる噂を聞いた。

「流山市にプロを目指すサッカーチームができるらしいぞ」

増えているとはいえ人口20万人、上場企業といえば機械をコンクリートに固定する「アンカー」と呼ばれる特殊ネジで有名なサンコーテクノくらい。そんな街がプロのサッカーチームを支えられるのか。

半信半疑でネットを叩くとすぐホームページが見つかった。

「千葉県流山市に初めて社会人サッカークラブが誕生」とある。以下、ホームページはこう続く。

「千葉県流山市は自然豊かな緑と水、大型ショッピングモールを中心とした施設が共存する街として、近年急成長を遂げている街です。そんな流山市にこの度、初の社会人サッカークラブとなる『ＮＡＧＡＲＥＹＡＭＡ Ｆ．Ｃ．』を設立いたしました。地域の企業の皆様とともに歩み、地域の皆様にプラスのエネルギーを届けられるように邁進してまいります」

代表者の名前を見て腰が抜けた。

「株式会社流山ＦＣ代表取締役　兼　総監督　安芸銀治」とある。

「え、あの銀治か？」

20年近く前の記憶が蘇る。場所は柏レイソルのホーム「三協フロンテア柏スタジアム」がある日立柏総合グラウンド。柏レイソルが主催する「東葛地区少年サッカー大会」で準決勝まで進んだ我がペガサスＪＦＣは、ここで柏レイソルの提携チーム、柏イーグルスTOR'82（現柏レイソルアライアンスアカデミーTOR'82）と対戦した。

準決勝はサブグランドだが、決勝に進めばプロが使うスタジアムで試合ができる。もちろんイーグルスが格上だが、我がチームはジャイアント・キリングを起こす気満々で試合に挑んだ。

息子たちの名誉のために言っておくと、セレクションもなく来るもの拒まず去る者は追わず。コーチの都合で土日の限られた時間しか練習できない我々は大いに善戦した。だが実力の差は埋め難く、1対2で惜敗した。ゴールキーパーだった私の息子の手をかすめて決勝ゴールを奪ったのが、東葛地区で「天才サッカー少年」の呼び声も高かった安芸銀治である。

「クッソー銀治のやつ、やっぱりうめー！」

圧倒的なスピードでディフェンス網を掻い潜り、心憎いばかりの冷静さでゴールを決めた銀治のプレーに、ペガサスのコーチ陣はベンチで地団駄を踏んだ。

秋田、青森、アイルランド

「あ、覚えてますよペガサス」

十数年ぶりにあった銀治は、笑顔が眩しい爽やかな青年になっていた。サッカーが上手い上にイケメン。天は二物を与えたもうたわけだが、サッカーエリートであるはずの銀治の28年間の人生は、決して平坦なものではなかった。

高校は流経大柏、市立船橋、県立八千代（最近は日体大柏）とともに「千葉のビッグ4」を形成する名門で、日本代表ＦＷの玉田圭司を生んだ市立習志野高校に進んだ。しかし高校卒業時にプロから声はかからず、大学サッカーの強豪、流通経済大学に進む。

プロ予備軍の流経大には二つ上に日本代表で現浦和レッズのＭＦ江坂任、一つ上には現柏レイソルの中村慶太がいた。レギュラー争いは熾烈で2年の時、トップチームに昇格したがオーバートレーニングでユニフォームを着るだけで吐き気がする状態になって降格。４年で再びトップに返り咲くが、一つ下で現日本代表ＭＦの守田英正（ポルトガルのスポルティング）、現ジュビロ磐田のＦＷジャーメイン良といった猛烈な才能に囲まれ、大きな輝きを放つことなく大学時代を終える。

またもＪリーグからは声がかからなかったが、安芸はこう考えた。

「オファーがなかったから諦めるのか。まだ自分のことを知らないチームがあるかもしれない。こなかったなら、こちらから行けばいい」

安芸は流経大監督の中野雄二に紹介状を書いてもらい、Ｊ2、Ｊ3のチームに自分を売り込んだ。安芸の情熱に応えてくれたのがＪ3のブラウブリッツ秋田。２０１７年の開幕戦、安芸はＪリーガーとして初めてピッチを踏んだ。天皇杯の予選で得点するなど爪痕は残したが翌年はＪ３の下のＪＦＬに所属するラインメール青森に期限付きで移籍した。ここでも成績を残せず２０１８年を以って契約満了となる。

人生をサッカーにかけてきた24歳の安芸は、まだ燃え尽きていなかった。欧州サッカーへの憧れもあり、２０１９年、アイルランド３部のクラムリン・ユナイテッドＦＣに移籍した。アイルランド代表でイングランド・プレミアリーグのトッテナム・ホットスパーなどで活躍したロビー・キーンがかつて所属したクラブである。

しかし安芸にとって、この渡欧は必ずしもサッカー選手としてステップアップするためのものではなかった。安芸は言葉も文化も違うアイルランドの地で、第二の人生を模索していた。「サッカーしか知らなかった青春を取り返す」という部分もあったという。

ある日、知人に頼まれてイベントの運営に関わった。「アイルランドで日本のお祭りをやったら面白い」と考えた安芸は、お好み焼きやチョコバナナの屋台を出し、寿司職人に寿司を握ってもらった。これが大成功し、来場者は「楽しかった」「またやって」と言って帰っていった。サッカー選手では味わったことのない充実感を感じた。

アイルランドには2年いるつもりだったが、新型コロナウイルスの感染拡大でリーグが凍結され、やむなく帰国。

目標は「10年以内にＪリーグ」

「もうサッカーは十分にやった」

安芸は実家に戻り、父親が経営する流山市の土木建設会社で働き始めた。

ある日、仕事で外回りをしているとグランドで小学生がサッカーの試合をしていた。どうやら決着がつかずペナルティーキック（ＰＫ）戦にもつれ込んだようである。ゴールを決めた子はガッツポーズで大喜び、外した子はこの世の終わりのようにしょげかえっている。それを見守るベンチのコーチやピッチサイドの父兄も一緒になって一喜一憂している。

「サッカーには観ている人に感動を与える力があるのか」

それまで自分が成り上がるためにサッカーをしてきた安芸は、サッカーが持つ奥深さに気付かされた。

「みんなに感動を届ける仕事がしたい」

そう思った時、サッカーチームを作る構想が頭に浮かんだ。作るなら父の会社がある流山市だ。Ｊリーグの常勝軍団、鹿島アントラーズのホーム、鹿嶋市の人口は６万６０

00人。安芸がプレーした秋田市と青森市は30万人前後。20万人都市になった流山にプロのサッカークラブがあってもおかしくはない。

だが「流山にプロのサッカーチームを作る」と言っても、誰もまともには取り合ってくれない。2021年6月、妻と知人のウェブ・デザイナーの3人で会社を立ち上げた。

ゼロからの道のりは険しい。社会人チームのスタートは県3部。2部、1部と順調に昇格しても関東リーグにたどり着くまでに3年かかる。関東2部、1部の先に全国区のJFL（日本フットボールリーグ）があり、その先がJ3だ。勝ち続けてもJにたどり着くには6年かかる。もちろん、どのチームも昇格したくて頑張っているのだから、つまずきはあるだろう。安芸は「10年以内にJリーグ参入」という目標を立てた。

千葉リーグの開幕は5月。安芸は大急ぎで流経大やブラウブリッツ秋田、ラインメール青森のつてを頼って選手を集めた。ネットで選手募集の告知を出し、セレクションで6人を採用した。流経大のOBも3人が加わった。ブラウブリッツ秋田でプロとして活躍した小野敬輔ら17人の選手が集まった。

誰もが「もっとプレーしたい」と切望する選手たちだ。しかしプロではないのでサッカーで金は稼げず、働きながら練習・試合に臨まなくてはならない。逆にグランドを借りたり審判を雇ったりの費用がかかるので、アマチュアでサッカーを続けるには選手が10万円～20万円の会費を払うことになる。

安芸はスポンサー探しに奔走し、選手が負担なしでサッカーを続けられる環境を作った。スポンサーになってくれたのは前述した市内の数少ない上場企業サンコーテクノ、流山市の６万世帯にガスを供給している京和ガス。同じく流山市内に本社を置くリープ不動産と、なのはな警備。茨城県小美玉市が本社の運送会社、フジネットワークスも〝「ぼくも・わたしも頑張ろう」そのエネルギーをあなたに〟という流山ＦＣの理念に共鳴し、スポンサーになってくれた。

スポンサーから集まる資金は年間８５０万円。練習グランドを借りるのにお金がかかるのでもちろん赤字だ。選手に年俸は払えない。試合に勝つとわずかだが勝利給が出る。デザイナーがロゴを作り、ユニフォームのデザインを決めると、なんとかチームらしくなってきた。市内の人にチームの存在を知ってもらおうと初戦の前、流山おおたかの森駅前で「キックオフ・イベント」を開いた。場所を貸してくれた東神開発の担当者は「まあ、集まって50人だね」と言ったが、蓋を開ければ３００人が集まった。安芸はツイッターやインスタグラムを使ってコツコツとファンを増やしていたのだ。インスタのフォロワーは１０００人を超えた。

２０２２年５月15日、千葉３部の開幕戦。流山ＦＣは９対０で快勝した。その後も無失点の快進撃が続き、５試合目で海上自衛隊下総航空基地サッカー部との試合で初失点を喫したもののこの試合も６対２で勝利。あと二つ勝てば全勝優勝が決まるが、Ｊリーグを目指す選手たちは「こんなところで躓いていられない」と先を見ている。

流山の心の支えに

チーム名に「柏」を冠する柏レイソルと流経大柏は、流山市民から見ると地元かどうか微妙なところだ。近くにあるチームなので応援はするが、柏市には微妙な対抗心もあり、心の底から、というわけにはいかない。これに対して流山ＦＣは完全なる「オラが街のチーム」である。面白いのは、サンコーテクノや京和ガスのようにまとまったお金を出せない地元の飲食店が「フードパートナー」という形でチームを支援していることだ。キッズスペース付きカフェの「アシェンプテル」、焼き鳥が美味しいと評判の居酒屋「つづく」などへ行くと選手は２００円程度でカレーやハンバーグを食べられる。普通の人の倍は食べるサッカー選手の食費はバカにならないがフードパートナーのおかげで月の食費は2、３万円で済むという。

２０２１年に流山市で創業した干し芋、芋けんぴなどを販売する「芋國屋」の代表、権乃英寿はフードパートナーになった理由をこう語っている。

「私自身も13年間サッカーをやってきてプロを目指した頃がありました。今は全然違う道を歩んでいますが、そんな私でも何かサッカーを通じて応援できる事ってないかと思い、流山ＦＣをサポートさせて頂く事になりました」

コロナ禍の逆風下に船出した小さな会社が何とか根を張ろうと流山で奮闘している。流山ＦＣはそんな彼ら、彼女らの心の支えになりつつある。流山ＦＣがＪリーグに昇格した時、20年前、筆者がロンドンで目撃したように、サッカーが人々の生活に溶け込んで生きる喜びとなり、街を一つにする姿が、ここ流山でも見られるのかもしれないと密かに楽しみにしている。

もし流山市にプロサッカーチームが誕生したら、それは20年間少年サッカーコーチをしてきた筆者にとって無上の喜びである。だがプロチームができて嬉しい理由はそれだけではない。

筆者は名古屋市で生まれ育った。大学以降は、ロンドンでの４年間を除いてずっと首都圏で暮らしている。

「お住まいはどちら」

「流山です」

「流山？　埼玉でしたっけ」

「いえ、千葉です」

「千葉の……」

「松戸の上、柏の横です」

「ああ（何でそんなところに）」

このやり取りを何度したことだろう。もちろん都心へのアクセス、地盤の硬さ、自然の豊かさなど、筆者なりに考え抜いた上での選択だったが、それでも「不便なところに住んでいる」という引け目を感じなかったといえば嘘になる。


「すすめ!!パイレーツ」

筆者が「流山」という地名を初めて知ったのは遠い昔である。週刊少年ジャンプでの連載が１９７７年～80年だから、筆者が中学生の頃だ。『すすめ!!パイレーツ』（江口寿史作）というギャグ漫画があった。野球漫画といえば『巨人の星』に代表されるスポ根が常識だった当時、長嶋茂雄や江川卓が活躍する華やかなプロ野球を不条理ギャグで笑いのめす衝撃的な作品だった。設定はこうだ。

土地成金（恐らく常磐線か常磐道の用地買収で潤った）の九十九里吾作は無類の野球好き。有り余る金でプロ野球チーム「千葉パイレーツ」を設立したが、浪費癖からすぐに経営難に陥りパイレーツは万年最下位のお荷物球団に。

その千葉パイレーツのフランチャイズが流山にある「千葉球場」。選手たちがメーテルと鉄郎に扮して『銀河鉄道９９９』ごっこに興ずるシーンでこんなやり取りがある。

メーテル役の犬井犬太郎「次の停車駅は流山…。人口十万一千人の小さな町」

鉄郎役の猿山さるぞう「流山…ずいぶんのどかなところだね…ねえ、人々がみなこの電車をみておがんでいるよ」

犬井「それはね鉄郎。この千葉県ではまだ列車という乗物が珍しいの…人々はみな、この列車を神の乗物だと信じていて一心におがむのね」

「ワハハ、すげーな流山」

まさか自分が住む事になるとは思いもしない中学生の筆者は、腹を抱え「流山＝ど田舎」のイメージがきっちり刷り込まれた。

作者の江口は熊本県の出身だが中学生の時、父の転勤で野田市に引っ越し、県立柏高校に通っていた。野田や柏から見ても流山はど田舎だったわけだ。

どうです江口先生。

流山にはお荷物球団の千葉パイレーツの代わりに、流山ＦＣができました。日本の人口が減る中で、10万１０００人だった流山市の人口は20万人を超えました。あと10年もしたらＪリーグに昇格し、鹿嶋市や浦和市みたいな「サッカーの街」になっているかもしれませんよ。

その時、筆者は突き出た腹を流山ＦＣのユニフォームに包み、禿げ上がった頭でサポーターのみんなと肩を組み、スタジアムで流山ＦＣのチャント（応援歌）を歌っているのだ。

第10章　東京ドーム30個分の「ＥＣ神殿」が１万人を雇用する

巨大物流倉庫群

常磐自動車道の流山インターチェンジを降りて料金所を出たら、最初の分岐を右、次の分岐を左に進むと松戸市と野田市を結ぶかつての有料道路、県道松戸野田線に合流する。江戸川の河川敷を走る道だ。インターを降りてすぐ、右手に巨大な物流倉庫群が現れる。

流山インターから江戸川と利根川を結ぶ利根運河にかかる運河大橋までの約９km、延々と倉庫群が続く。倉庫群というと味気なく聞こえるが、流山市のグリーンチェーン戦略に沿って敷地の20％が緑地化され、周囲はランニングコースになっている。夜になるとＬＥＤの電飾がキラめき、ちょっとした遊園地の趣になる。施設内にはコンビニ、カフェ、体育館もある。

巨大物流倉庫を運営しているのは世界屈指の物流不動産企業、日本ＧＬＰと、物流施設事業を拡大する大和ハウス工業。

日本ＧＬＰが建設中の「ＧＬＰアルファリンク流山」は全８棟からなり、延床面積は92万平方メートル。大和ハウス工業が建設中の物流施設「ＤＰＬ流山（全４棟）」は70万平方メートル。二つ合わせて東京ドーム30個分、国内最大級の巨大倉庫群だ。すでに８割方完成しており、２０２３年中には双方がフル稼働し、最大で１万人の雇用が見込まれている。

物流業界の常識では延床面積が３万坪を超えると「大型倉庫」と呼ばれる。１６２万平方メートルというのはべらぼうな大きさだ。

日本ＧＬＰが１８４０億円、ＤＰＬも推定８００億円と、総工費も巨額だ。世界屈指の物流不動産企業であるＧＬＰは日本国内では旗艦となる施設だけに「アルファリンク」の名前を与えており、日本のアルファリンクは流山、相模原、さらに関西の茨木、尼崎、関東の昭島での開発を発表している。相模原の延床面積は67万平方メートル、茨木は32万平方メートル、尼崎は37万平方メートルなので、現時点では流山が「日本最大」だ。

楽天、アマゾンはここから発送

建設が決まったときにはＧＬＰの創業者で最高経営責任者（ＣＥＯ）の梅志明（ミン・メイ）が来日し「日本では物流需要が今後も拡大するとみている。引き続き重点的に投資したい」と話した。

ミン・メイは10歳のとき両親に連れられて中国・広東省から米インディアナ州に渡り、3年後、父親が働いていた中華料理店を買い取るときに、父親より達者になった英語で銀行と融資の交渉をした。この店が大繁盛したおかげで家は裕福になり、ミン・メイはインディアナ大学を卒業した後、ノースウェスタン大学と香港科技大学で経営学修士（ＭＢＡ）を取ることができた。

２００９年、シンガポール政府投資公社の投資を受けて、当時働いていた米不動産信託大手のプロロジスから中国と日本の事業を買い取り、ＧＬＰを設立した。今や世界８ヶ国でＥＣ（インターネット・ショッピング）向け物流倉庫を中心に６２００万平方メートルの不動産を管理する。その中で見れば92万平方メートルのアルファリンク流山も小さく見えるが、日本の物流倉庫としては最大だ。

GLPは投資会社でもあり、自動倉庫のためのAI（人工知能）やロボットを開発するベンチャー企業などに出資して莫大な利益を上げている。アルファリンク流山にも最先端の物流テクノロジーが投入されている。

アルファリンク流山の「3」はECの楽天市場が入り、建物の上部に赤い「Rakuten」のロゴが刻まれている。DPL「Ⅲ」にはアマゾン・ドット・コムが入り、夜空に青い「Amazon」のロゴが浮かび上がる。首都圏で楽天やアマゾンを使う人々の荷物は何割かの確率でここから発送されている。

少年サッカーの聖地が消滅？

工事が本格化したのは2016年頃からだ。巨大なキリンのような赤白のクレーンが何十機と出現し、見渡す限りに柱が立ち並んだ。楽天やアマゾンが利用することを知った筆者はその光景を密かに「EC神殿」と呼んでいた。ギリシアのアクロポリスを思わせる荘厳な景観であり、最先端のECを支える「現代の神殿」だからだ。

EC神殿が姿を現す前、ここは「流山少年サッカーの聖地」だった。「新川耕地スポーツフィールド」。以前は「上耕地グランド」と呼ばれていたグランドでは、流山市少年サッカー連盟が主催する「流山市内大会」などの公式戦や、７チームから選抜した流山選抜チームの練習などが行われた。少年サッカーならピッチを３面取ることができる広さで、グランド周辺は大きな木立で囲まれており、子供がサッカーをするには抜群の環境だった。

住所は流山市南字上耕地。だから「上耕地グランド」と呼ばれたのだが、私の長男が少年サッカーをやっていた頃、練習、練習で旅行にも行けないコーチ陣は「今年の夏も家族で上耕地」と冗談を言い合った。もちろん信州のリゾート地、上高地ではない。

伝え聞くところではこの新川耕地グランド、常磐自動車道を通すときの「ついで」に作られたらしい。確かに自動車道の脇にあり、雨で砂が流れると地面の下からコンクリートの塊がゴロゴロと出てきた。子供が躓くと危ないので、私が所属していた流山ペガサス・ジュニア・フットボールクラブの会長、白井榮一は我々が子供と練習している傍で、いつもコンクリート塊の撤去に汗を流していた。

そんなサッカー少年とサッカーおじさんたちの汗が染み込んだグランドが「どうやらなくなるらしい」という噂が流れ始めたのは２０１０年頃のことだった。コーチの中には市役所で働いている人もいる。彼らは言った。

「つくばエクスプレスで三つも駅を作ったので、負担金が巨額で市の財政は火の車。借金を返すため土地を売るらしい」

「じゃあ、流山の子供はどこでサッカーをすればいいんですか」

「さあね」

スプロール化の危機を回避

開発区域になった江戸川河川敷の土地は約15万平方メートル。新川耕地グランド以外は地権者がいるが、大半が休耕地で市街化調整区域かつ第二種農地の指定を受けていた。

建設省（現国土交通省）は1993年、「地区計画制度の運用等について」という通達を出し、市街化区域内の農地の良好な宅地化を進めるための整備計画を早急につくるよう地方自治体に促した。一部の自治体では道路に面した条件の良い土地だけで虫食い的にアパートや駐車場などの建設が進み、裏手の道路のない農地は何もできない「死に地」になった。

ある流山の農家は「農業を30年継続しなければならない生産緑地は無理」と考え、宅地化農地を選択した。農地に比べ固定資産税は100倍になる。背に腹は代えられないのでその土地に賃貸マンション、貸し倉庫、駐車場を作った。当時の新聞記事を読むと、農家はこう語っている。

「近隣農家と共同で整備した方がよい街づくりにはなるが、悠長なことはいっておれない」

無計画な都市化で自然破壊、環境汚染、交通渋滞などが発生する「スプロール現象」が流山でも始まりつつあったのだ。

だが２００３年に都市計画のプロである井崎義治が市長になった流山は、新川耕地のスプロール化をギリギリで免れる。休耕地の地権者らは２００７年「流山ＩＣ中心部地権者協議会」を設立。協議会が農地を開発しやすくするよう求めると、市は同地区を都市計画マスタープランで「産業系土地利用ゾーン」に定め、原則として開発行為が禁止される市街化調整区域だった上耕地を開発可能な市街化区域に変えた。

これを待っていたのが日本ＧＬＰだ。同社は２０１３年8月に特定目的会社（ＳＰＣ）を設立し、流山ＩＣ中心部地権者協議会と土地の売買契約を結んだ。このとき市長の井崎は敷地の２割を緑地化し、その維持管理に責任を負う「グリーンチェーン認定」を市から取得するよう日本ＧＬＰに強く求めている。

「厳しい条件でしたが、あれだけの広さの土地を開発可能にしてもらったわけですから、お応えしないわけにはいきません」

と日本GLPの担当者は言う。

そんな事情を知らない一市民だった筆者は「子供からグランドを奪って倉庫を作るのか」と憤った。市は新川耕地グランドを移転するために、事業費約8億8000万円を計上し、常磐自動車道を挟んで元のグランドの反対側に4万5000平方メートルの用地を取得。2018年、少年サッカーなら4面が取れる「流山スポーツフィールド」が完成した。

新川耕地グランドを追い出された我々は数年間、ホームグランドのないジプシー・チームになり、対戦相手にグランドをお借りする肩身の狭い思いをしたが、それも今や昔。綺麗に整備された4面のグランドと100台以上を駐められる駐車場、綺麗な水洗トイレ付きの施設を手に入れた流山の少年サッカーは、ご機嫌に発展の一途をたどっているのである。

「物流」という新しい産業

市は市街化調整区域だった流山インター周辺の江戸川河川敷を積極的に市街化区域に編入していき、やがて開発可能な土地は１００万平方メートルを超えた。かつての耕作放棄地は、ラブホテル街になることもなく、緑に囲まれた先端物流拠点に生まれ変わった。これは流山市に「物流」という新しい産業が生まれたことを意味する。

筆者の事務所の最寄り駅は東武アーバンパークラインの初石駅である。アルファリンクとＤＰＬが動き出してしばらくすると、朝夕の駅前の風景が変わった。駅のロータリーに長蛇の列ができ、数分おきにやってくるバスにどんどん吸い込まれていく。バスのフロントガラスの上にある行先を示す掲示板には「楽天」「アマゾン」「ＧＬＰ」などと書いてある。初石駅から倉庫群までは近い所でも徒歩で30分近くかかる。

ＥＣの取扱い量は年々増えている。総務省のデータでは２０００年にＥＣの利用世帯は全体の５％だったが、２０１８年には40％に上昇、２０２０年には54％を超えた。２０１３年に佐川急便がアマゾンの配送から撤退し「物流クライシス」が叫ばれたが、その後も物流業界では慢性的な人手不足が続いており、荷物のピックアップや詰め込み、仕分けで人手を必要とする倉庫も同じ状況にある。

大和ハウス工業で建築事業本部長を務める取締役常務執行役員の浦川竜哉は、流山の江戸川河川敷を初めて見たとき「首都圏から30㎞圏内の高速インターの真横に、まだこんなまとまった土地が残っていたのか」と驚いた。しかし土地が広く交通の便がいいだけで物流施設を作ることはできない。

「つくばエクスプレスが開通し、周辺の人口が増えていることが最後の決め手になりました」

大和ハウス工業が「DPL流山プロジェクト」の建設に踏み切った理由を浦川はこう説明する。大和ハウス工業は前述した通りショッピングセンター事業も展開している。

「荷物のピックアップなどで自動化が進んだとはいえ、1平方メートルあたりの従業員数はショッピングセンターよりまだ物流倉庫の方が多い」と浦川は言う。働き手が集まらなければ倉庫は作れないのだが「流山市は典型的なベッドタウンで市内に大企業が少ない。つまり働く場所が少ないので、労働力は確保できるだろうと考えました」(浦川)。

働き手の主力と見込んだのが子育て世代のお母さんたちだ。そこで託児所事業を展開するベンチャー企業の「ママスクエア」と組み、施設内に敷地面積1000平方メートル超の保育所を設置した。

DPLⅠ~Ⅳがフル稼働すると雇用は5500人に達する見通し。一方、GLPアルファリンク流山ではすでに２０００人が働いており、最終的な雇用は５０００人に膨らむ見通し。都合1万人以上がここで働くことになる。

日本ＧＬＰも人材確保に知恵を絞っている。託児所や専用通勤バスはもとより、施設内に厨房付きのカフェテリアやコンビニを作り、地域の住民にも開放している。カフェには無料で使えるＷｉ－Ｆｉと電源があり、近隣の高校生たちがパソコンを開いて試験勉強をしている。夏休みなどには高校生に施設でインターンをしてもらい、将来この施設に入居する企業で働いてもらうことも期待している。

倉庫が市民の命を守る

「アルファリンク４」にはバスケットボールコート1面分の体育館があり、フットサル、バドミントン、バレーボール、卓球などが楽しめる。「アルファリンク５」には入居企業が利用できるシェアキッチンもある。ドライバーと従業員用のヨガストレッチルーム、仮眠もできる瞑想ルームも設置するなど、まさに至れり尽くせり。「薄暗く埃っぽい倉庫で働く物流業のイメージを変えていきたい」との狙いがある。

アルファリンク流山は屋上に張り巡らされた太陽光発電と非常用発電の組み合わせに

よって、事務所だけでなく倉庫・荷捌きエリアにも非常時に72時間、自家発電の電力を供給できる。２０１９年には流山市と災害協定を結び、一時避難施設としてこれらの施設を貸し出すことになった。「ＤＰＬ流山Ｉ」も流山市と災害協定を結んでいる。大和ハウス工業の浦川は言う。

「物流施設ができればトラックの通行量も増え、地域の住民に迷惑と思われがちだが、何とか努力して、あって良かったと思ってもらえる施設にしたい」

巨大倉庫群の出現は流山市に億円単位の税収増や雇用増といったメリットをもたらす一方、トラックの交通量増大に伴う渋滞の発生など、問題も生んでいる。その解決に向けての試みも進んでいる。

２０２３年春、江戸川に流山市と三郷市を結ぶ新しい橋が架かる。「三郷流山橋」だ。流山より一足早く首都圏の消費を支える物流拠点として発展したのが三郷である。その三郷と流山を直接結ぶ橋はＧＬＰアルファリンク流山やＤＰＬがある江戸川河川敷の南にある「流山橋」１本しかなく、流山のＥＣ倉庫が増えるにつれ渋滞が激しくなった。これを緩和するため、江戸川河川敷の北側にもう1本、新たな橋を作るのだ。

開通から30年間は特大車４１０円、普通車１５０円の通行料が課されるが、ＥＣ倉庫の荷物を運ぶ大型トラックがそちらに流れれば流山橋の渋滞緩和が期待できる。この橋は三郷から流山、柏、守谷を通ってつくば市に抜ける「都市軸道路」の一部になる。

日本ＧＬＰの担当者は「近隣の倉庫同士で入りきらない荷物を融通することがあるので、物流事業者にとって、首都圏の物流を支える倉庫群が立地している三郷、流山、柏が１本の道路で結ばれる意味は大きい」と話す。

日本ＧＬＰとＤＰＬが東京ドーム30個分の敷地に植える木は20万本以上。市長の井崎は言う。

「木が大きく育てば、やがてあの場所は日本で最初の『森の中の物流センター』になるでしょう」

あとがき

さてここまで全国の市の中で「人口増加率が6年連続1位」の流山市の変貌ぶりを紹介してきたわけだが、読者諸氏はそこから何を感じ取られただろう。

つくばエクスプレスが開通したことが発展の大きなきっかけになったのは事実だが、送迎保育ステーションなど、それ以外の施策はどの自治体でも実施できることだ、と筆者は思う。要は「やるかやらないか」だけの話である。

「やらない」ことの理由を見つけるのは易しい。だが現状を変えたくない人たちがやらない理由を延々と並べ、衰退を続けているのが今の日本の実情ではないだろうか。

「自ら機会を創り出し、機会によって自らを変えよ」

筆者が2021年に書いた『起業の天才！ 江副浩正 8兆円企業リクルートをつくった男』の主人公、江副浩正が考案したリクルートの社訓だ。江副がリクルート事件で逮捕されたあと、この言葉は社訓から削除された。しかし人事制度など江副ら創業世代が残した様々な仕組みにより、このスピリットは現在のリクルートにも生きている。

やりたい人がやりたいことをやり、どんどん姿を変えていく。その文化こそが「戦後最大の経済事件」で創業者を失った後もリクルートが成長を続けた理由である。

本書で取り上げた人々は市長の井崎義治を筆頭に、誰もが自ら機会を創り出している。それを許容する場には「やりたい人」たちが集まり、場を変容させていく。

東日本大震災、コロナ禍、ロシアによるウクライナ侵攻。円安に物価上昇。我々を取り巻く環境は毎年のように激変している。「地球そのものの安定期が終わり、活動期に入った」と指摘する地質学者もいる。

環境が変化するなら、我々も変化しなくてはならない。江副の社訓にはネタ元がある。「窮則変、変則通、通則久（窮すれば則ち変ず、変ずれば則ち通ず、通ずれば則ち久し）」

中国の古典『易経』の一説だ。

いつの時代も生き残るのは強い者ではなく、変化する者だ。流山市は変化した。

筆を置く前に一つ、付け加えておかなければならない。本書で流山市の変革者として紹介した尾崎えり子と手塚純子は現在、流山市民ではない。尾崎は2022年3月、岡山県西粟倉村に家族とともに移住した。流山市ICT教育推進顧問の仕事は続けているが、普段はトトロがいそうな森の中で暮らしている。

手塚は今、つくば市民である。コロナ禍の中で「なんで空は青いのか。科学者に聞いてみよう」と子供たちに呼びかけた、つくば市長の教育政策に共感し、子供たちを「つくば市の小学校で学ばせたい」と考えたからだ。同じく最近、流山市を離れた母親は言う。

「流山の場合、街路樹や公園、新設の小学校といった〝箱〟は立派なんですよ。でも小学校はマンモス校になって、ベースには昔ながらの管理教育が残っている。ソフトウエアがついていっていない感じがします」

来る者がいれば去る者もいる。尾崎や手塚は流山市を「卒業」したのだと、筆者は思っている。リクルートがそうであるように、卒業生たちが流山以外の場所で活躍することも、流山市の魅力を高める力になる。

ただ、変化に「これでおしまい」はない。人口増加はもうこのくらいでいいのかもしれない（100万人都市で手作り感のある行政は難しいと思う）。しかし「流山らしさ」

を創り上げていくのはこれからだ。

最後に自分のことを少し。

30年住んだ流山の本を書くという機会を得て、私自身にもいささかの変化があった。新聞記者時代、東京・丸の内、霞ヶ関界隈で「自分たちが日本を動かしている」と自負する人たちを取材の対象にしてきた。彼らから情報を得て記事を書く自分も日本を動かす一員だと勘違いしていた。

だが民主主義の実態は「20万人の市政」の中にあった。子供をどう育て、お年寄りをどう守り、市民が暮らす街をどう快適にしていくか。我々の暮らしに近いところで動いているのは市政だった。

市政は面白い。何かを変えると、その影響が市民の生活に即時、直接的に反映される。リアル「Sim City」だ。私にとっては、数字と睨めっこするだけの国政よりずっと面白かった。

新聞記者の頃、市民とか市民活動とかいう言葉があまり好きではなかった。「中央で勝負できないから地域なんだろ」と、どこかに「負け組」の匂いを感じていた。

しかし中央はすっかり機能不全を起こしている。この窮状を変えるのは市民であり市政ではないのか。この本を書いたお陰で、私の中に「シビック・プライド」の小さな火が灯った。取材に応じてくれた流山市民の皆さん、執筆の機会を与えてくれた新潮社の安河内龍太さんに心からお礼を申し上げる。

大西康之

2022年11月

大西康之　1965年愛知県生まれ。88年早大法卒後、日本経済新聞社入社。欧州総局、編集委員などを経て2016年独立。著書に『起業の天才！ 江副浩正 8兆円企業リクルートをつくった男』など。

Ⓢ新潮新書

979

流山（ながれやま）がすごい

著　者　大西康之（おおにしやすゆき）

2022年12月20日　発行

発行者　佐藤隆信

発行所　株式会社 新潮社

〒162-8711　東京都新宿区矢来町71番地
編集部(03)3266-5430　読者係(03)3266-5111
https://www.shinchosha.co.jp

装幀　新潮社装幀室

図版製作　株式会社クラップス

印刷所　株式会社光邦

製本所　加藤製本株式会社

ISBN978-4-10-610979-9　C0230